P9-CAY-117

El Antiguo Egipto

Rosa Enguix

Colección: Biblioteca Básica
Serie: Historia

Diseño: Narcís Fernández

Coordinación científica: Joaquim Prats i Cuevas
(Catedrático de Instituto y
Profesor de Historia de la
Universidad de Barcelona)

Juan Ignacio Luca de Tena, 15. 28027 Madrid

Primera edición, febrero 1989
Segunda edición, agosto 1990
Tercera edición, julio 1991
Cuarta edición, mayo 1993
Quinta edición, marzo 1996
Sexta edición, febrero 2000

I.S.B.N.: 84-207-3235-4
Depósito legal: M-3.233-2000
Impreso en ANZOS, S. A.
La Zarzuela, 6. Polígono Industrial Cordel de la Carrera
Fuenlabrada (Madrid)
Impreso en España - Printed in Spain

Contenido

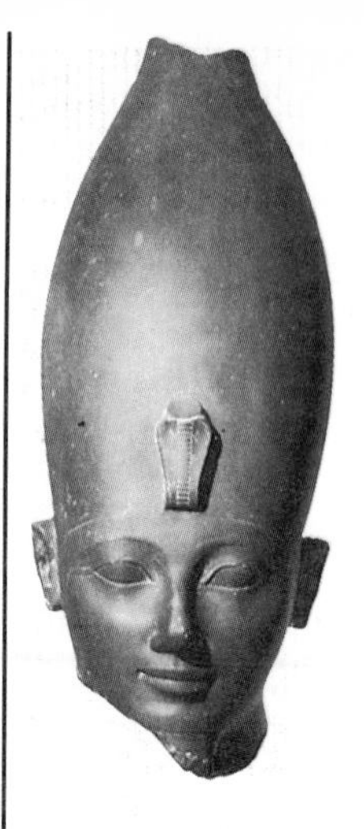

Una cultura sorprendente

La civilización del Antiguo Egipto provoca actitudes muy variadas: la visión de los restos arqueológicos despierta el asombro en el espectador, pero también un cierto distanciamiento, como si toda esa obra que se contempla no tuviera nada que ver con nuestra cultura occidental. La monumentalidad de su arquitectura y la actitud hierática de la mayor parte de los personajes representados en la escultura puede producirnos ambas sensaciones, pero un análisis más detallado de los objetos cotidianos, de las pinturas que adornan las tumbas y de la literatura puede acercarnos a este pueblo cuya historia comenzó hace cerca de cinco milenios y que la conservó, en sus líneas básicas, durante casi tres mil años. Es cierto que su concepción de la vida, su actitud religiosa y su sentido estético tal vez resulten distantes a nuestro pensamiento, más relacionado con el mundo grecolatino, pero al analizar lo cotidiano de la cultura egipcia podemos llegar a sentirnos más próximos a ella, ya que utilizamos habitualmente algunos de sus inventos: las sillas sobre las que nos sentamos y el papel en que escribimos, por ejemplo, son inventos de los mismos hombres que construyeron las pirámides y esos templos cuya grandiosidad sigue despertando admiración y respeto.

La cultura egipcia se desarrolló en perfecta simbiosis con su medio geográfico (no en vano se ha llamado a Egipto «el país del Nilo»). Sin tener que moverse de su tierra el egipcio obtenía todo lo que necesitaba para su sustento: no tenía más que esperar la crecida del río, controlarla y ponerse a trabajar sobre las tierras depositadas por las aguas. La caza y la pesca, abundantes en el entorno, completaban su despensa. Hasta tal punto eran autosuficientes que el comercio exterior fue, casi siempre, una actividad de lujo y prestigio, monopolizada por los grupos privilegiados de la sociedad.

1

El país del Nilo

La historia del Antiguo Egipto se desarrolló a lo largo del Nilo, en estrecha relación con la dinámica de este río. Pocas civilizaciones antiguas, con alto nivel de desarrollo, han estado tan condicionadas por un medio geográfico como la egipcia. «Egipto es un don del Nilo», afirmó Herodoto en el siglo V a. C. al visitar este país, expresando de manera afortunada esta relación, con tanto acierto que se ha repetido una y otra vez desde entonces.

El río Nilo nace por las confluencias de los llamados Nilo Blanco y Nilo Azul, y presenta un recorrido angosto y accidentado entre Jartum y Asuán. A partir de Asuán cobra protagonismo histórico puesto que, en la lucha por dominarlo y utilizarlo, las gentes asentadas en su orilla fueron capaces de generar la cultura egipcia. Desde la primera catarata, en Asuán, hasta su desembocadura en el Mediterráneo, el Nilo recorre unos 1.200 kilómetros dividido en dos zonas geográficas bien diferenciadas. Al norte, en la desembocadura, forma un amplio delta con siete brazos que constituye una compleja red de vías fluviales: es el llamado Bajo Egipto. La zona Sur, conocida como el Alto Egipto, está formada por un valle estrecho rodeado de escarpes en ambas orillas.

A lo largo de los 1.200 kilómetros del curso del Nilo entre Asuán y su desembocadura en el Mediterráneo por el Delta, floreció y se desarrolló, durante cerca de tres milenios, la antigua civilización egipcia.

Las benéficas inundaciones anuales

Una de las características del río Nilo era su crecida anual, provocada por las lluvias torrenciales del Sur. La crecida inundaba el valle y el delta, depositando un aluvión de tierras y limos, que los egipcios llamaban «tierra negra», de gran fertilidad, que dejaba los campos preparados para la siembra. En la actualidad, las crecidas se regulan mediante presas, como la de Asuán, que permiten regar controladamente una extensión de terreno mucho mayor de la que se regaba entonces.

La vida económica de los antiguos egipcios giraba en torno al fenómeno de las inundaciones anuales. Este mismo hecho condicionaba de manera fundamental la estructura social y política de la civilización del Antiguo Egipto.

Los años de escasez (al igual que los de prosperidad) estaban relacionados, fundamentalmente, con estas inundaciones: si la crecida era excesiva, anegaba los núcleos de población asentados al borde de las «tierras negras», provocando desastre y destrucción; si la crecida era escasa, las tierras cultivables disminuían y la cosecha resultaba insuficiente para alimentar a toda la población. Todo pues, o casi todo, giraba en torno a esa fuente de riqueza: las «tierras negras» que convertían al país en una potencia agrícola.

La búsqueda y puesta en marcha de las técnicas para controlar las inundaciones periódicas del gran río fue la causa de que los grupos humanos asentados alrededor del valle y del delta del Nilo crearan un país y una cultura, lo que hoy conocemos como el Antiguo Egipto.

El resultado fue la instauración de un sistema político teocrático (es decir, el gobierno lo ejercía directamente un rey-dios, el faraón), centralizado y estable. La autoridad que dimanaba de un único poder omnipotente permitía convocar y organizar a los ejércitos de obreros necesarios para la realización de las obras públicas, precisas para asegurar la productividad imprescindible, a su vez, para el mantenimiento de toda la población. Este sistema político favoreció, como analizaremos más tarde, la implantación de una estructura social en forma de pirámide, con una cúspide muy afilada presidida por el máximo poder político, el faraón, y una amplia base integrada por la mayor parte del pueblo.

La historia del antiguo Egipto, iniciada alrededor del 3000 a. C., es larga y complicada. La figura del faraón, el rey-dios, resulta fundamental en ella. Aquí, estatua del faraón Pepi I, de la dinastía VI, que reinó durante 94 años.

El gran río

La majestuosidad de los monumentos egipcios ha sido motivo de asombro para el mundo durante siglos. Abajo, los sabios franceses que acompañaron a Napoleón Bonaparte en su expedición a Egipto miden la Esfinge.

Las tres estaciones

El ciclo del Nilo presentaba una gran regularidad: entre junio y septiembre tenía lugar la crecida del caudal, dejando las tierras húmedas, fértiles y aptas para el cultivo; a partir de febrero comenzaba la época de sequía; el estiaje era creciente hasta junio, cuando se iniciaba el nuevo ciclo de inundaciones. De acuerdo con estas fases del ciclo fluvial, los egipcios dividieron el año en tres estaciones: *akit* o inundación, *peret* o estación de germinación y *shema* o estación de las cosechas.

Los egipcios, basándose en la observación, asociaron el comienzo de la primera estación con otro acontecimiento: la aparición de la estrella Sirio, que este pueblo convirtió en la manifestación de Isis, diosa de la vida familiar por excelencia. De este modo, cuando aparecía Sirio se celebraba el primer día del año y de la primera estación, siendo recibido con festejos y ofrendas. El primer calendario conocido del Antiguo Egipto quedó así dividido en tres estaciones de cuatro meses cada uno.

Otro aspecto nada desdeñable del Nilo era su papel como vía de comunicación rápida y barata entre el Norte y el Sur del país. La dirección de la corriente es de Sur a Norte, mientras que el viento dominante sopla de Norte a Sur. Los barqueros del Nilo podían dejarse arrastrar por la corriente río abajo, remando hasta al-

canzar cierta velocidad; podían ir río arriba desplegando las velas, dejando que el viento los empujara. De este modo, con escaso esfuerzo humano, los egipcios podían desplazarse de uno a otro extremo del país para intercambiar sus cosechas y sus productos artesanales.

El Antiguo Egipto vio condicionada su historia por otros aspectos geográficos que dieron lugar al mantenimiento casi incólume, sin grandes influencias externas, de su civilización a lo largo de alrededor de 3.000 años. Uno de estos condicionantes fue el hecho de estar rodeado por desiertos: el desierto occidental o Líbico que lo separaba del Mar Rojo y el desierto oriental o Arábigo. Con estos accidentes geográficos no resultaba fácil invadir el país: la barrera de desiertos suponía una dificultad adicional para cualquier ejército que intentara la invasión, a causa de los problemas de incomunicación y aprovisionamiento desde sus bases que provocaba.

Lo cierto es que el pueblo egipcio no vivió, habitualmente, temeroso ante enemigos externos. Más temía a las «tierras rojas», que era su manera de llamar al desierto, que a cualquier ejército invasor que pudiera llegar por ellas. Prueba de ello es que edificaban sus aldeas junto a las «tierras negras», a pesar del peligro que esto suponía en caso de inundación excesiva. Era preferible a asentarse en el desierto. En el Alto Egipto, las «tierras rojas» fueron los lugares elegidos para los enterramientos, como morada de los muertos.

El gran río

Antes de la puesta en marcha, hace algunos años, de los actuales sistemas de regulación de las crecidas, el caudal del Nilo sufría enormes modificaciones, como muestra este gráfico: entre mayo y septiembre se advierte una diferencia de siete metros. Arriba, la diosa Isis.

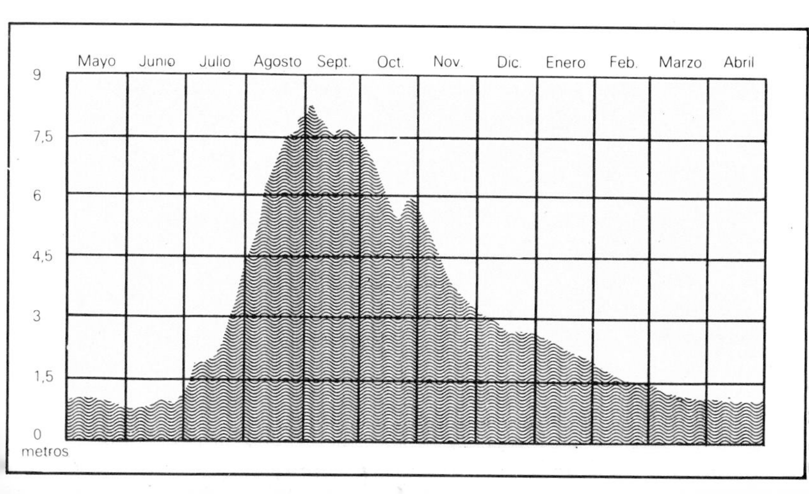

qara
Meidum
El Fayyum
Oasis El Fayyum
Beni Hassan
Tell-el Amarna
aqqara

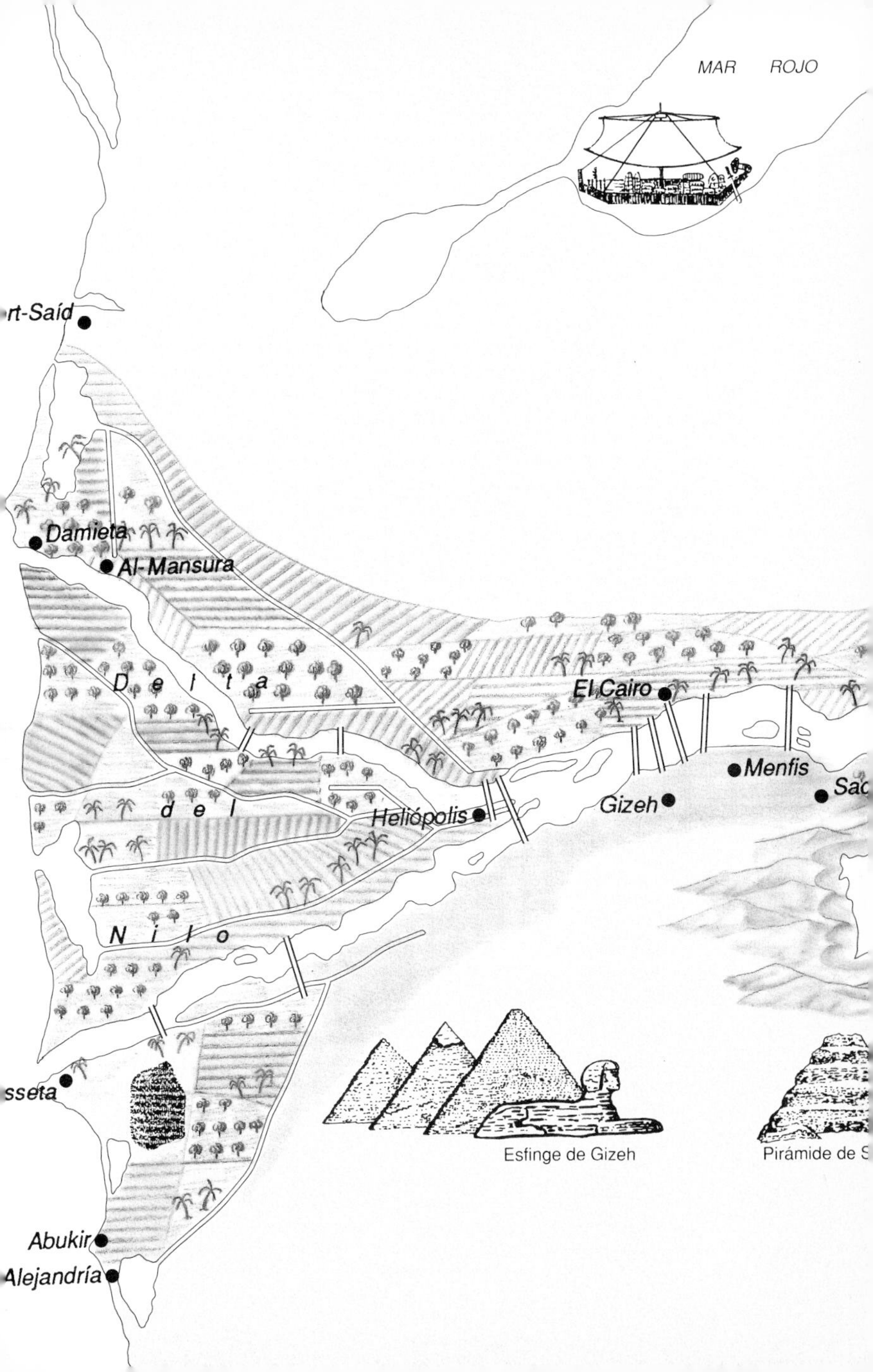

MAR ROJO
Damieta
Al-Mansura
D e l t a
d e l
N i l o
El Cairo
Menfis
Gizeh
Heliópolis
Abukir
Alejandría
Esfinge de Gizeh

2

Una economía autosuficiente

El valle del Nilo constituyó, desde tiempos prehistóricos, un importante centro de atracción para los grupos humanos dispersos de los alrededores, que buscaban alimentos a lo largo de sus riberas. La caza, la pesca y los vegetales comestibles eran abundantes y variados. Pero cuando se introdujeron las medidas adecuadas para controlar la crecida de las aguas del río y sanear las tierras del valle, esta zona se convirtió en un centro de producción agrícola capaz de soportar y mantener a una población creciente, que terminó creando una gran civilización.

La agricultura, complementada por la ganadería, constituyó la base de la economía del Antiguo Egipto, cuya población tuvo que desplegar todo su ingenio para suplir, en lo posible, las carencias de productos tan fundamentales como la madera, la piedra y los metales. Las alternativas para la madera y la piedra las encontraron en el propio valle; para los metales tuvieron que buscar el abastecimiento en zonas más alejadas.

Escena de la siega de una tumba de Tebas. La economía egipcia se basaba fundamentalmente en la agricultura y, sobre todo, en el cultivo de cereales.

La agricultura en el valle del Nilo

La principal fuente de riqueza de la población egipcia fue la agricultura, dada la facilidad de su desarrollo una vez logrado el máximo aprovechamiento de la crecida del Nilo, y lo ubérrimo de sus cosechas, que producían importantes excedentes de los cultivos básicos. Dos tipos de cultivos eran fundamentales para el pueblo egipcio: los cereales (trigo, avena y mijo) y el lino. De entre los cereales, el trigo, era la base de la dieta alimenticia, mientras que el lino, tras su hilado, lo era de la confección de ropas.

La siembra, que no requería trabajos previos de preparación de la tierra, se iniciaba cuando todavía los campos estaban en plena sazón, tras la crecida del río; se realizaba bien con un arado rudimentario, que apenas removía la tierra, bien esparciendo la semilla a mano y haciendo pasar ganado sobre ella (preferentemente piaras de cerdos) para que quedara cubierta por la tierra. La recolección se efectuaba mediante hoces de pedernal y con la participación de todos los miembros de la familia.

Una vez realizada la siembra de los productos básicos, el campesino dedicaba su tiempo a trabajos hortícolas que le proveían de cebollas, pepinos, ajos, puerros y lechugas entre otros productos. Estas huertas re-

Los cereales, fundamentalmente el trigo y la cebada, constituían los productos básicos de la agricultura egipcia. Tras la siega, se llevaban a la era, donde se procedía a la trilla, separando el grano de la paja y descascarillándolo. Luego se aventaba el grano (escena que recoge esta imagen) para acabar de limpiarlo, tras lo que se almacenaba en los graneros.

Templo de Kom Ombo

Templo de Ramses II

Templo de Ramses II

Templo de la Reina Nofretari

Templo de Hator

Ramesseum

Templo de Amenhotep III

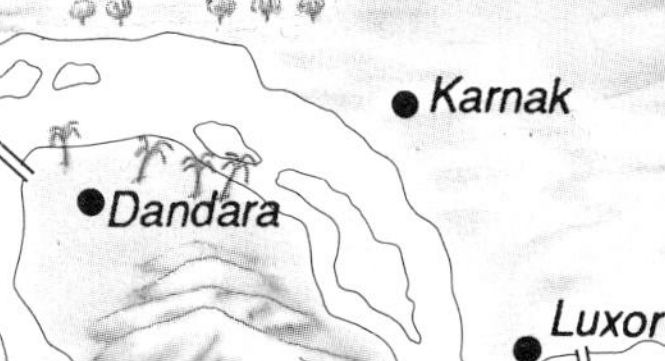

Colosos de Memnon

Templo de Horus

Tutankamon

Las técnicas agrícolas

querían un riego regular, por lo que el campesino egipcio hubo de ingeniar sistemas adecuados para poder abastecerse de agua una vez iniciada la estación seca, ya que la lluvia era un fenómeno meteorológico impredecible. Otras cosechas más localizadas, de acuerdo con las características de la tierra, era la vid en la zona del Delta (para la obtención del vino), asi como el ricino y ajonjolí, de las que se obtenían aceites para diversos usos. También nos han llegado noticias de la existencia de palmas datileras, sicomoros, higueras, granados y algarrobos.

Las técnicas desarrolladas en el quehacer agrícola tenían por objeto controlar y aprovechar al máximo las aguas del Nilo. Entre ellas cabe destacar la construcción de diques para impedir, por una parte, que la crecida anual arrasara los núcleos de población situados en el linde de las «tierras negras», pero su objetivo primor-

Para alimentar los canales de riego con el agua del Nilo, los egipcios utilizaban el shaduf (o shadoof), dispositivo que aplicaba el principio de la palanca: se llenaba de agua una bolsa de cuero, que resultaba fácil levantar gracias al contrapeso situado en el extremo opuesto del palo. Arriba, escena agrícola.

dial era retener el agua hasta que se alcanzara la presión suficiente para que, en el momento de darle paso, pudiera anegar tierras y cisternas lo más alejadas posible. Como complemento, se abrió una red de canales, con la finalidad de conducir estas aguas hasta las «tierras rojas», y se hicieron arcas o balsas para retenerlas y conservarlas pasada la inundación. Durante el Imperio Medio, con el fin de sacar el agua del Nilo para verterla en los canales y zanjas, se comenzó a utilizar un sistema muy simple denominado *shaduf*, que consistía en construir un brocal al principio del canal, en la zona más próxima al Nilo, sobre el que se colocaba una viga transversal apoyada sobre columnas. En esta viga transversal se ataba una larga pértiga móvil, equilibrada por un contrapeso en un extremo y un recipiente atado con una soga en el otro. Tirando de la cuerda, el recipiente llegaba hasta el río, donde se llenaba de agua; con el contrapeso se hacía subir el recipiente, que se vaciaba en la zanja.

Los utensilios agrícolas más habituales eran los arados, las hoces, los azadones y los nilómetros. El arado era un utensilio muy rudimentario, pensado para ser arrastrado por vacas; estaba compuesto por dos manceras verticales acabadas en un cepo, al que se adaptaba la reja. Las manceras estaban unidas por un travesaño, que descansaba sobre la testuz de los animales de tiro. El trabajo de arar lo realizaban habitualmente dos personas: una tiraba de los animales mientras la otra dirigía la reja desde las manceras. La simplicidad del arado, así como su falta de evolución a lo largo de los milenios, están en relación con las características de la tierra, en la que no había malas hierbas, ni piedras, ni necesidad de realizar constantes trabajos de removida. No es extraño, pues, que otros utensilios como la hoz y los azadones presenten pocas novedades a lo largo de la cultura egipcia. Quizá el útil de mayor complejidad fuese el telar.

El nilómetro era un utensilio que, colocado en lugares estratégicos, permitía conocer con antelación las características anuales de la crecida del Nilo. De este modo, en casos de posibles desgracias por exceso o por defecto de la inundación se podían arbitrar las medidas para paliar sus efectos.

Las técnicas agrícolas

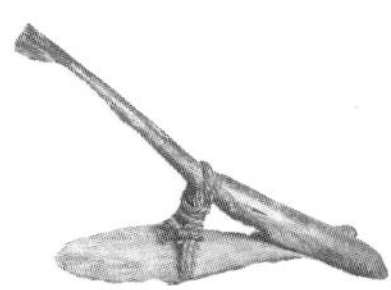

Los egipcios utilizaron desde tiempos remotos diversos utensilios para las tareas agrícolas: hoces con dientes de sílex, arados, azadas... Sobre estas líneas, azada de madera que al parecer se utilizaba para arrancar las malas hierbas.

El papiro

El papiro, útil para todo

El papiro fue un elemento importante en la economía del Antiguo Egipto. Esta planta, que crece en abundancia y de forma natural en las marismas del Delta, fue aprovechada hasta la saciedad por el pueblo egipcio. Dentro de la administración, por sus cualidades de flexibilidad y ligereza, sustituyó muy pronto a las tablillas de barro cocido para asentar cuentas y documentos, al tiempo que se convertía en un eficaz vehículo de transmisión cultural para la escritura, por su facilidad de transporte y uso. Pero la utilidad del papiro, más allá de estos aspectos administrativos o culturales, tuvo una indudable importancia cotidiana en tanto que sirvió para elaborar cuerdas, redes de pesca, cestas, cajas, esteras, sandalias, cribas, y embarcaciones ligeras para la caza y pesca en los pantanos. El papiro, una simple planta que sólo había que cortar y que no requería grandes cuidados durante su desarrollo, fue uno de los dones más preciados del Nilo, y llegó a convertirse, tras sus diversas transformaciones, en materia exportable por todo el Mediterráneo.

El papiro, entre sus múltiples aplicaciones, servía para hacer papel: quitaban la corteza al tallo y rebanaban la médula en tiras muy delgadas, que colocaban sobre una tabla o una piedra plana, cubriéndolas con un paño y batiéndolas con un mazo de madera hasta lograr que se entrelazasen formando una sola hoja. Arriba, embarcación egipcia, hecha de papiro, de alrededor del año 2000 a. C.

El adobe

Esta misma capacidad de encontrar sustitutos más que aceptables de aquellas materias de las que el valle del Nilo carecía se ve confirmada, de nuevo, con el uso de los adobes. A falta de maderas y piedra, los egipcios utilizaban el abundante barro que tenían a mano para hacer adobes que, puestos a secar al sol, utilizaban para construir sus viviendas. Las humildes chozas de los campesinos y los obreros, las casas y los palacios de funcionarios, artesanos cualificados y las de los dignatarios de la corte se construían con adobe de barro y paja.

Barro para construir

Técnicas que utilizaban los albañiles egipcios para hacer los bloques de adobe en tiempos del Imperio Nuevo, recogidas en un friso tebano.

Ganadería

Ganadería, caza y pesca

La ganadería, la caza y la pesca complementaban el quehacer agrícola.

La ganadería ocupó un lugar destacado entre las actividades del pueblo egipcio. Desde la época predinástica se realizaron intentos de domesticación de diversas especies de animales silvestres que vivían en el Delta y en los alrededores del valle del Nilo; unas veces con éxito; otras, el fracaso fue rotundo.

En el Papiro Lansing, se lee la reconvención del maestro a un alumno:

> «Eres peor que el búfalo del desierto que llega impetuoso. Ni aprende las labores del campo, ni holla la era ordenadamente. Vive del trabajo de los bueyes sin ayudarles jamás en su tarea.»

Esta cita refleja los intentos de domesticación fallidos de una especie determinada. Hay pruebas de que los fracasos se dieron con otras especies, como la hiena, donde los intentos de utilizarla para la caza y la alimentación resultaron vanos.

Una parte considerable de la población se ocupaba del pastoreo y otra completaba su trabajo cuidando animales de corral. Dos aspectos pues presentes en la ganadería egipcia: el pastoreo y la cría estabulada. El primero suponía que el pastor vivía practicamente con su

En esta escena aparecen los tres tipos de ganado vacuno que se criaban en Egipto durante el Imperio Nuevo: de cornamenta larga, de cornamenta corta y una variedad con joroba.

ganado y lo trasladaba a los lugares de pasto más adecuados según la estación cuidando de su seguridad y crecimiento en ese peregrinar hacia el alimento del rebaño. Se separaban de la manada los ejemplares mejores, llevándolos a corrales especiales, donde se les cebaba convenientemente hasta que se les sacrificaba para los festines reales o las ceremonias del templo.

De entre las especies domesticadas cabe mencionar el perro, claramente relacionado con la caza; el asno, ligado a los trabajos agrícolas y al transporte; la vaca, el buey, la cabra, el cordero y el cerdo.

El caballo se introdujo tardíamente en la cultura egipcia (ver páginas 55-56) y el camello más tarde todavía.

En cuanto a las aves, había granjas especializadas en la cría de patos, ocas y grullas. De su importancia para la economía del país sólo podemos decir que existían funcionarios especializados para vigilar la buena marcha de las explotaciones avícolas.

La caza se realizaba en las marismas y en el desierto, utilizándose arcos y flechas, arpones y redes. El objetivo inmediato era conseguir carne para completar la dieta alimenticia, y en este aspecto la practicaba toda la población capaz para hacerlo; pero también tenía un componente religioso, ya que a los animales de las «tierras

Ganadería y caza

Las aves, tanto silvestres como de corral, constituían un elemento importante para la alimentación en Egipto. La caza de patos, ánsares, grullas y otras aves acuáticas silvestres en las márgenes del río constituía una práctica frecuente. Por lo general, se las atraía mediante señuelos y se las capturaba a base de redes.

Caza y pesca

En el Antiguo Egipto, la pesca era otro recurso alimenticio importante; se realizaba desde la orilla, mediante redes, o desde pequeñas embarcaciones hechas a base de papiro, la utilísima planta tan usada por la cultura egipcia (los grandes barcos se hacían de madera de acacia o sicomoro, entre otras). Estas embarcaciones, con su quilla plana, su proa levantada y sus grandes velas, tenían un diseño ideal para navegar fácilmente por las arenosas orillas del río. Las buenas capturas eran para los egipcios, como tantas cosas en la vida cotidiana, dones del Nilo, a pesar de que en algunos períodos se consideró oficialmente al pescado «alimento prohibido».

rojas» y a algunos de las marismas se les suponía un carácter maléfico, ya que dependían del dios Seth, enemigo de Osiris, y era conveniente destruirlos. Existió un grupo de guardas fronterizos, los *nuu*, especialistas en cazar, que se encargaban de preparar las expediciones cinegéticas del faraón y los altos funcionarios en estas «tierras rojas».

En el desierto se cazaban habitualmente avestruces, gacelas, bueyes y asnos salvajes, antílopes, íbices y liebres. En las marismas, los hipopótamos y gran variedad de aves silvestres eran las presas favoritas de los cazadores egipcios.

La pesca era otra de las bases alimenticias de la población egipcia. Las artes de pesca eran diversas: cañas con anzuelo para los pescadores solitarios, red de mano, nasas de diversos tamaños que había que revisar a menudo, arpones para las especies más grandes y, en caso de pesca colectiva, redes barredoras o de arrastre que, extendidas entre dos traineras, se arrastraban lentamente hasta la orilla, donde se recogían los peces. En todos los casos, el pescado se preparaba en el mismo lugar de su recogida, abriéndolo y poniéndolo a secar para su conservación.

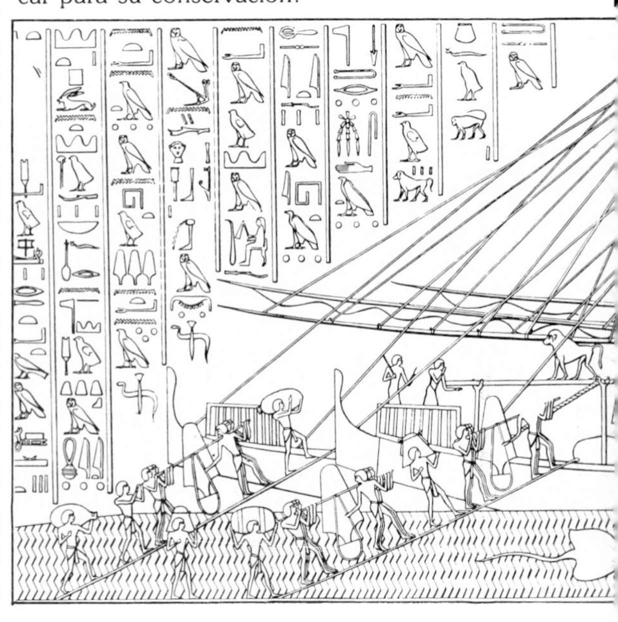

El comercio

A pesar de que la egipcia fue una de las grandes civilizaciones de la antigüedad, por su sistema de subsistencia autárquica (es decir, autosuficiente por medio de sus propios productos) no tuvo necesidad de desarrollar una actividad comercial importante con el exterior, al menos hasta el siglo VII a. C. El comercio tenía como fin conseguir aquellos objetos, principalmente suntuarios de los que se carecía: maderas nobles, incienso, mirra, aceites, perfumes, plata...

El comercio exterior egipcio fue monopolizado por la casa real, que organizaba grandes expediciones marítimas en las que exportaba papiros y telas a cambio de aquellos productos de los que se carecía. También los templos realizaron actividades comerciales, y son más escasos los testimonios de esta actividad por parte de particulares.

Por otra parte, en zonas próximas al valle del Nilo los egipcios disponían de rocas y minerales que, con su desarrollo cultural, se fueron haciendo cada vez más necesarios. Las zonas desérticas eran ricas en canteras de piedras de distintas calidades y que, cuando las necesidades para la construcción de templos o palacios mo-

El comercio

El Nilo era también la vía de comunicación más cómoda y más directa entre un extremo del país y el otro. Por él circulaban numerosas embarcaciones, cargadas con todo tipo de productos; también lo hacían los cortejos fúnebres, las tropas, los peregrinos... Todas las ciudades, villas y aldeas eran accesibles por el río. Los grandes mercantes de madera (algunos medían más de 60 metros de longitud, y su casco estaba hecho de madera de cedro, que no se pudre en el agua, importada del Líbano; estos gigantes se utilizaban en el transporte de las enormes piedras para las construcciones del faraón). Los buques podían propulsarse a vela o mediante remos. Aquí, carga de un buque en el puerto de Punt (en la actual Somalia) con diversos productos: marfil, mirra, oro, animales... En el agua, algunos de los peces propios de la región.

El comercio

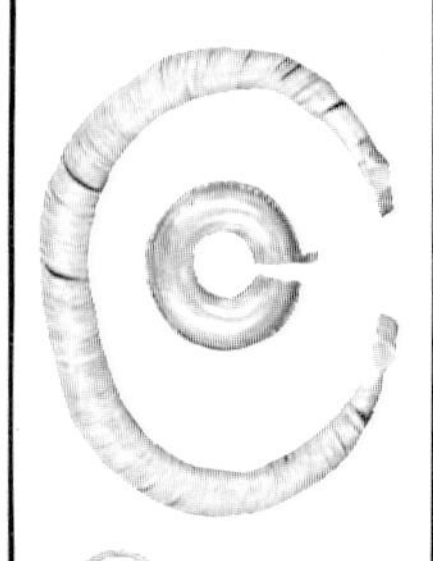

La joyería egipcia alcanzó un alto nivel técnico y estético, lo que constituye un índice de la habilidad de sus artesanos y de la capacidad de este pueblo para los intercambios comerciales, ya que casi todos los materiales necesarios para realizarlas habían de traerse de otras regiones, cambiándolos por otros productos. Lo más utilizado era el oro.

numentales lo requerían, se ponían en explotación. El faraón organizaba una gran expedición, formada por ejércitos de obreros, artesanos y funcionarios hacia alguna de las canteras y se iniciaba el trabajo de extracción y, luego, de transporte. Terminado el aprovisionamiento de la materia prima que necesitaban los escultores, arquitectos y orfebres, se abandonaba la cantera hasta que la necesidad de nuevas construcciones obligaba a organizar nuevas expediciones. Las canteras se explotaban sólo cuando era necesario.

Los metales usados preferentemente por los egipcios fueron el oro, el cobre y la plata.

El oro era abundante en el desierto oriental, hasta el punto que fue objeto de exportación en forma de presentes del faraón a los dignatarios de otros países.

El cobre procedente del Sinaí cubrió las necesidades egipcias hasta el Imperio Nuevo, época en la que, agotados los minerales, hubo que buscarlos en el exterior.

La plata, inexistente en Egipto, fue objeto de un intenso comercio, recurriéndose a Babilonia, Mitani y Chipre. El cobre se importaba de Siria cuando comenzó a escasear el del Sinaí. Las maderas nobles (los tipos de madera locales se reducían al algarrobo, el enebro y la acacia) procedían de las costas del Líbano, cuyo puerto más importate era Biblos. El incienso procedía del País de Punt; el lapislázuli, de Biblos; el vino de calidad, de Siria; los aceites y perfumes eran de procedencia diversa, como Biblos, Babilonia, Amanu y Mitani. En la medida que Creta cobró importancia histórica, el comercio con sus gentes se fue intensificando en detrimento de otros puertos.

Uno de los problemas con que se contó en esta actividad comercial fue la de hallar un patrón de intercambio (una "moneda") que facilitara las transacciones. Al principio se utilizó el *shat*, pero al tratarse de una medida ideal los intercambios eran largos y dificultosos, por lo que cayó en desuso. El *shat* equivalía a siete gramos de oro, lo que no solucionaba estos problemas cuando el criterio que pervalecía era intercambiar producto por producto. En el Gran Papiro de Harris, documento del Imperio Nuevo, se calcula con más exactitud el valor de las cosas usando el *debea*, equivalente a noventa gramos, y el *zites*, equivalente a nueve gramos.

La artesanía

Las actividades artesanales eran muy diversas, con un grado de desarrollo de destreza y desarrollo elevadísimos: para apreciar el trabajo de estos artistas y artesanos, basta contemplar los restos materiales que esta civilización nos ha dejado.

Canteros, mineros, escultores, pintores, orfebres, armeros, carpinteros, carroceros y curtidores eran verdaderos especialistas, encargados de suministrar los objetos para uso y necesidad de señores y dioses.

Los artesanos realizaban su trabajo en los talleres reales, o en los de los templos. El director del taller revisaba los trabajos antes de enviarlos a los usuarios. Apenas conocemos nombres de artesanos en general, incluyendo pintores y escultores, lo que nos lleva a pensar que, salvo casos excepcionales en los que alcanzaron consideración y fortuna, el trabajo era anónimo y su realizador no merecía un trato especial dentro de la sociedad egipcia.

La artesanía

Los canteros egipcios trabajaban fundamentalmente sobre roca caliza, aunque en algunas pirámides usaron bloques de granito, lo que sin duda les creó problemas considerables, ya que sus utensilios, de cobre eran muy blandos e inadecuados para trabajar sobre materiales duros.

3

La organización de la sociedad

Muchas sociedades se han comparado con una estructura piramidal, pero pocas son tan representativas de esta imagen como la egipcia. El faraón ocupaba el lugar más alto de la escala social, como representación carnal del dios Horus, con la misión contundente de poner orden en la naturaleza, en su reino.

El faraón todopoderoso

Nada define mejor la figura y funciones del rey que las propias oraciones de Ramses III a los dioses recogidas en el Papiro Harris:

«Soy vuestro hijo, creado por vustros dos brazos. Me habéis designado como soberano de la Vida, la Salud y la Fuerza de todas las tierras. Habéis creado para mí la perfección sobre la tierra. He desempeñado mi cargo completamente en paz.

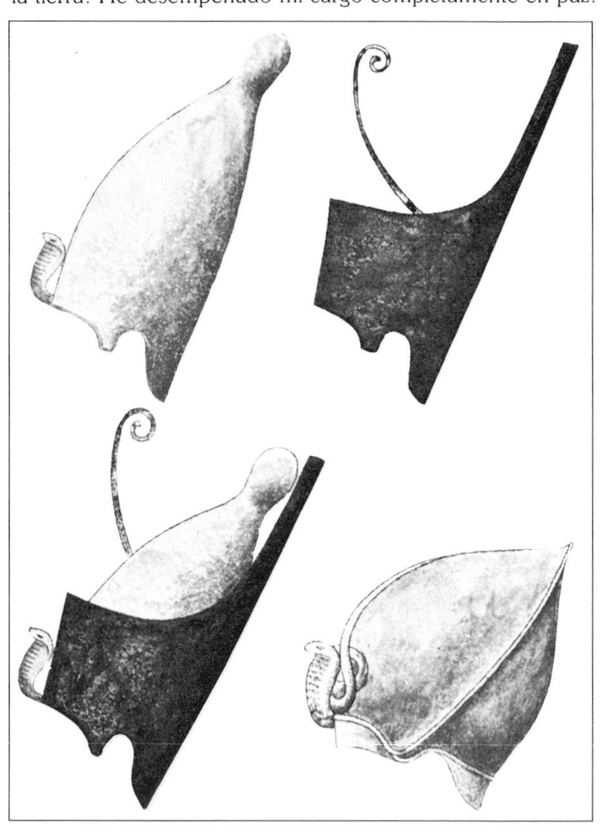

La corona era para el faraón uno de los símbolos del poder y la divinidad, junto con el *héka* (bastón similar al usado por los pastores), el flagelo (utensilio para desgranar los cereales, símbolo del poder real sobre todos los productos del país), el cetro (símbolo de la estabilidad del reinado), la falsa barba, la cola de un animal (león, toro, etc.), como indicativo de su fuerza... Asimismo, el rey llevaba en la frente, sobre la corona, una pequeña cobra, aniquiladora simbólica de los enemigos. Las distintas coronas identificaban al faraón con sus dioses.

No he permitido que mi corazón reposara, pues he buscado lo útil y eficaz para vuestros santuarios...»

La característica más importante del poder del faraón en el Antiguo Egipto era la de reunir en su persona, de manera total e indisoluble, el dominio de lo religioso, lo civil y lo militar. Todo lo que sucedía en el país le era atribuido: la crecida del río, la bondad de las cosechas, el culto a los dioses y a los muertos, las victorias, los intercambios comerciales y la justa aplicación de las leyes. De hecho, cuando el culto al dios solar, Re, se extendió y cobró influencia, en detrimento de otros dioses, pasó a ser considerado "hijo de Re" para no perder su persona los beneficios que el dios repartía al país.

No olvidemos que el Antiguo Egipto entró en la historia cuando logró poner en funcionamiento la compleja organización necesaria para controlar y utilizar las aguas del Nilo. Ello requería de un poder fuerte, capaz de movilizar a masas de población que pudieran crear la infraestructura necesaria para poner en producción las tierras. Las redes de canales, los diques y las labores de drenaje eran obras que requerían muchas manos durante muchas horas, y en coordinación. Y todo esto a lo largo de los 1.200 km. que ocupaba el reino. La centralización y el poder absoluto fueron el primer medio para conseguir esta organización y movilización humana. Resulta fácil constatar en las fuentes escritas que, cuando el poder del faraón se debilitaba o se sustituía por otra forma de gobierno, la crisis se enseñoreaba del país y el pueblo acababa deseando la vuelta del rey-dios. La divinización del faraón no se planteaba como una actitud servil, sino por la profunda creencia del pueblo egipcio de que sólo un dios, con relación estrecha con otros dioses, podía conseguir que la naturaleza fuera generosa con el país.

Este mismo carácter divino prevalecía en la elección del sucesor del faraón reinante. Habitualmente el rey, en vida, asociaba a las labores de gobierno a su primogénito de la esposa principal, pero en muchos casos asociaba a un hijo «favorito», sin considerar derechos de nacimiento, anteponiendo a la primogenitura la elección y los deseos de los dioses, y sin que existieran problemas de ningún tipo para aceptar esta decisión. En el ce-

El poder del faraón

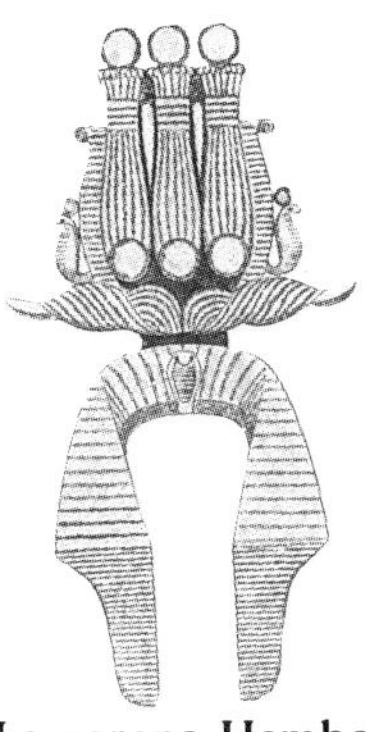

La corona Hemhemet (arriba), se utilizaba en raras ocasiones. Las más usadas eran la corona blanca del Alto Egipto (página opuesta, primera a la izquierda) y la roja del Bajo (a la derecha de la anterior), que se superponían, simbolizando la unión del reino, en la corona doble (abajo, izquierda). Para el combate o en el ejercicio de sus labores militares, el faraón llevaba el casco o corona azul (abajo, derecha).

El poder del faraón

He aquí algunos de los símbolos reales que recibía el príncipe heredero al ser entronizado: el bastón o *héka* y el *flagellum*. En la página opuesta aparece el faraón Sethi I ante la diosa Hator; sobre la frente del faraón está representada la cobra o *uraeus*, símbolo de la destrucción de los enemigos.

remonial de la coronación, el faraón recibía el cetro y el látigo, y era tocado por la corona blanca del Sur, primero; por la corona roja del Norte, después y por último, por el *pszheut*, combinación de las anteriores.

Las obligaciones religiosas era prioritarias, como las que se impone un hijo hacia su padre. El faraón era considerado el sacerdote por excelencia; nombraba a sus asistentes para el culto, a los otros sacerdotes, dedicando una parte considerable de su tesoro al mantenimiento del culto en los templos, así como a la construcción de nuevos templos y nuevos monumentos funerarios. Gracias a las prebendas y exenciones de impuestos de las que gozaban los templos, la clase sacerdotal llegó a tener mucho poder, pero pocas veces pudieron hacerlo efectivo, ya que los faraones supieron impedirlo.

El carácter de la monarquía divina se mantuvo hasta el ocaso de la civilización egipcia. Este atributo de divinidad al faraón llegó a penetrar en todo el tejido social, conservándose con fuerza y durabilidad. De este modo se pretendía conseguir el orden universal, el *maat*, establecido por un dios creador y garantizado por un dios reinante. Por esta razón, la continuidad del modelo político era fundamental y ante cualquier innovación se intentó, siempre, la adaptación más que el cambio radical. Ello supuso la permanencia de la estructura social y política del país.

De los períodos del Imperio Antiguo y Medio nos han llegado diversos textos que tratan del carácter divino de la monarquía y que nos describen este concepto. Uno de estos textos es la *Teología Menfita*, donde se explica la posición de los dioses y la supremacía de Menfis como capital del reino dentro de este contexto teológico. En el *Papiro Dramático* del Rameseo se dan instrucciones sobre el ritual y su significado místico para la ceremonia de coronación y jubileos del faraón. Los *Textos de las Pirámides* nos informan de la supremacía del rey como dios en su vida de ultratumba. Se cierra así el círculo: Dios en vida y Dios en la «vida» de ultratumba.

En el Imperio Nuevo cristalizó el concepto del *maat*, que establecía, en definitiva, las bases del orden social y de la organización para que así fuera. Las fuerzas del desorden, las negativas, eran controladas por el hijo del dios creador reinante.

Administración y defensa

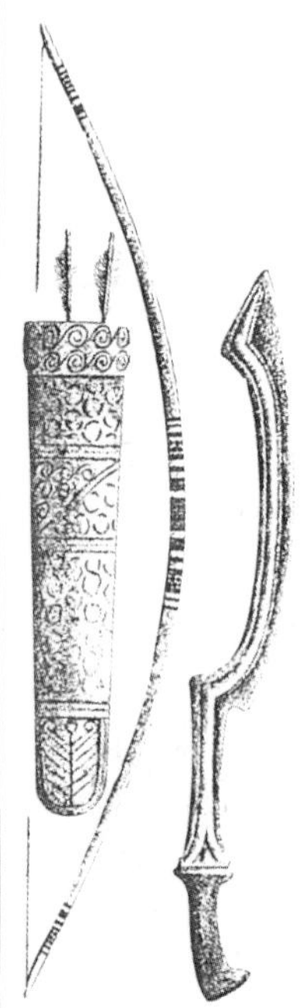

A lo largo de la historia, tanto la actitud de los egipcios ante la guerra como las armas de que dispusieron experimentaron cambios notables. En esta página aparecen varias armas fundamentales para los ejércitos egipcios: el carro de combate (abajo), que iba tirado por caballos y transportaba dos guerreros, y el arco y la flecha.

La administración y la defensa del país

Las obligaciones del faraón como administrador del reino tenían como objetivo lograr una sociedad eficaz, gobernada con imparcialidad e incorruptibilidad. En este sentido, los deseos y los criterios del rey se convertían en dogmas de carácter divino. Estos dogmas se transmitían de padre a hijo, de faraón a príncipe heredero, introduciéndose algunos elementos para corregir la arbitrariedad del nuevo faraón. Fueron surgiendo así normas legislativas que eran conocidas por todos y en las que se reconocían los derechos de hasta los más humildes miembros de la sociedad, al tiempo que servían para reprimir abusos.

Por último, el faraón tenía la obligación de defender la integridad del país. Esta obligación fue secundaria hasta la invasión de los hicsos, dadas las condiciones de aislamiento de que disfrutaba el valle del Nilo. Hasta la instauración del Imperio Nuevo la organización militar era mínima; no existía un ejército profesional y permanente. Las actividades militares se limitaban a la vigilancia del desierto, y había puestos fronterizos y policía de pistas para proteger las caravanas comerciales procedentes del Mar Rojo. Pero la invasión de los hicsos produjo un cambio profundo en los asuntos militares. Su expulsión puso en pie un gran ejército que luego se utilizó para realizar campañas exteriores hacia el Próximo Oriente, pasando Egipto a tener un papel activo en los asuntos de estas tierras, sobre las que actuaba en régimen de protectorado o dominadores. A partir de esta situación, el faraón, de grado o fuerza, tuvo que transformarse en el jefe de un ejército batallador, y a sus vir-

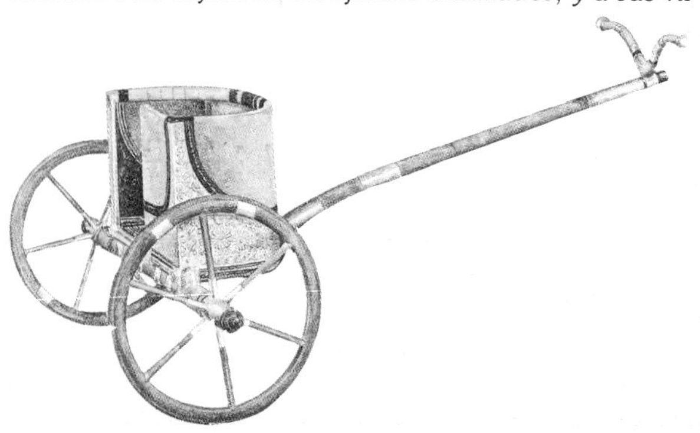

tudes se añadió la relación de las victorias logradas durante su reinado.

Todo dependía del faraón y sólo de él. Pero en la práctica utilizaba una serie de funcionarios y administradores para llevar a efecto esta ingente labor. Todos ellos eran transmisores y ejecutantes de las órdenes faraónicas.

En las obligaciones de administración civil cobra importancia relevante el visir o *tati*. El visir era el hombre de confianza por excelencia, a quien el faraón transmitía instrucciones generales que él ejecutaba de la manera que creía más conveniente, sin recibir precisiones para

Administración: el visir

Arriba, Khaemwese, hijo de Ramsés I, visir del Egipto septentrional y, durante algún tiempo, príncipe coronado. A la derecha, la llamada *Triada de Micerinos*, en la que aparece el faraón entre la diosa Hator y la diosa del Perro Negro (Imperio Antiguo, dinastía IV).

Visires y nomarcas

ello. En algún momento de la historia del Antiguo Egipto llegó a haber un visir en Menfis y otro en Tebas, dados los problemas de desplazamiento y la extensión del reino.

Los deberes del visir eran muchos, ya que de él dependía toda la administración y economía del país. Su nombramiento recaía entre los miembros de las familias más allegadas del rey, dándose la tendencia a convertirse en cargo hereditario dentro de ellas. Pero tampoco era raro que hombres de origen humilde accedieran a este cargo gracias a sus méritos personales.

Otro cargo que pretendía hacer más efectiva esta administración civil era el de gobernador o *nomarca*. El país estaba dividido en provincias o *nomos*, al frente de las cuales estaba un representante del faraón, que se ocupaba de su buen funcionamiento y del cobro de impuestos. Estos nomarcas, especialmente los de los nomos más lejanos, obraban muchas veces por cuenta propia, lo que ocasionó más de una vez contraordenes y amonestaciones por parte del faraón.

En épocas de crisis del poder central, los nomos llegaron a funcionar como principados independientes convirtiéndose en práctica habitual que el cargo de nomarca se transmitiera dentro de la misma familia, por lo que algunos grupos familiares llegaron a alcanzar gran poder y riqueza.

Para sus obligaciones religiosas el faraón contaba con la ayuda de los sacerdotes, que llegaron a ser el grupo social más rico e influyente del país. Las riquezas de los templos aumentaban sin cesar, al recibir tributos y dádivas por parte de la casa real, exentas de impuestos. De este modo, ellos aumentaban sus riquezas mientras el tesoro real se empobrecía, con el consiguiente empobrecimiento del país. En la medida que esta clase sacerdotal ganaba poder e influencia, el rey la asociaba al gobierno (teocracia) o se apoyaba en ella para gobernar.

Al principio, los sacerdotes más poderosos eran los dedicados al culto de Re; más tarde fueron los que rendían culto a Ptah, para ser desplazados por los influyentes sacerdotes de Amón al inicio del Imperio Nuevo. La influencia de Amón creció al extenderse la creencia de

Dinatario estatal de la dinastía XVIII, representado mediante una estatua cúbica, cuyos lados planos permitían grabar jeroglíficos sobre ellos.

que por su intercesión se había expulsado a los invasores hicsos.

Una de las atribuciones más importantes de los sacerdotes de Amón era la interpretación de los deseos del dios; a las preguntas formuladas por el faraón, Amón respondía con señales que traducían sus servidores, los sacerdotes; de este modo la decisión de los asuntos de estado acabó en manos de este grupo sacerdotal, lo que representaba un gran cambio en el equilibrio de poderes.

Otro grupo de la población que disfrutaba de una situación de privilegio era el mando profesional del ejército. Hasta el Imperio Nuevo no existió en Egipto un ejército permanente: cuando surgía algún problema los gobernadores reclutaban hombres de sus provincias y los ponían a disposición del faraón, que nombraba a un príncipe o noble de su familia para que los dirigiera en la lucha. Terminado el peligro, los hombres volvían a sus lugares de origen. El faraón disponía de una milicia

Sacerdotes y guerreros

El ejército «profesional» no se organizó en Egipto hasta el Imperio Nuevo (tras la guerra de liberación contra los hicsos), época en la que se emprendieron una serie de victoriosas campañas contra diversos pueblos vecinos con el pretexto de que constituían un peligro para la paz.

El ejército egipcio

El faraón, rey-dios de los egipcios, ocupaba el vértice de la pirámide social, apoyándose en el clero y la nobleza. El más alto cargo de la administración por debajo del faraón era el de visir; los visires no gobernaban una región ni una ciudad, sino que estaban al frente de una función determinada: recaudación de impuestos, control de los graneros, vigilancia del cumplimiento de las órdenes reales... El país estaba dividido en nomos, al frente de cada cual había un nomarca. Los escribas se encargaban de las tareas administrativas menos importantes.

permanente, al igual que los nomarcas en el Imperio Medio, pero no era demasiado numerosa y más bien tenía una misión de vigilancia y protección de caminos y rutas comerciales, así como de control de las invasiones procedentes de Nubia, para lo que se establecían fuertes defensivos.

Para expulsar a los hicsos, al final del Segundo Período Intermedio, hubo que hacer un esfuerzo bélico considerable, lo que dio origen a la creación un ejército profesional y permanente, al frente del cual estaba el faraón o el príncipe heredero. El ejército egipcio recurrió con frecuencia a mercenarios, que en ocasiones lograron tanto poder que se hicieron con el control del gobierno.

La falta de tradición militar permitió que personas de origen medio tuvieran acceso a los mandos del ejército gracias a su comportamiento en el combate, por lo que se convirtió en vehículo de ascensión social.

Como resumen, en la estructura política egipcia, el faraón y su familia ocupaban el vértice de la pirámide, y por debajo se encontraba el visir. En un nivel inferior estaban los sacerdotes, los nomarcas y los mandos profesionales del ejército.

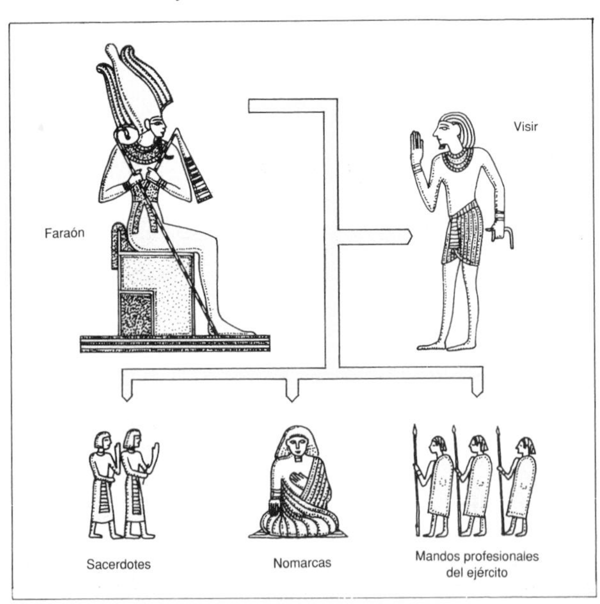

Escribas, campesinos y obreros

Un grupo importante para el funcionamiento de la nación eran los escribas. Su misión era transmitir las órdenes, anotar y hacer un seguimiento de los impuestos y controlar, en general, las actividades económicas del país. Los escribas estaban adscritos al palacio del faraón, pero también los había dependientes de los templos y del ejército.

Para ser escriba se necesitaban largos años de estudió y aprendizaje en escuelas especiales anexas al palacio o al templo. La permanencia en estas escuelas era larga y el aprendizaje resultaba duro.

La forma de vida del escriba ha sido repetidamente ensalzada por sus mismos miembros. Con independencia de los testimonios escritos que han llegado hasta nuestros días, su estrecho contacto con la clase dirigente les deparó un modo de vivir más placentero que el de los restantes grupos sociales inferiores. El acceso a la escuela de escribas estaba abierto a toda la población pero, en la práctica, los campesinos y obreros encontraban muchas dificultades por causas económicas.

Otros grupos sociales que formaban la base de la pirámide social eran los campesinos o *fellah* y los obreros. Estos grupos constituían la mayor parte de la población egipcia.

El escriba, que ocupaba una posición social relativamente buena, llevaba consigo todos los útiles necesarios para desempeñar su misión: papiro enrollado, una caña para escribir, una paleta con huecos para tintas de distintos colores, a modo de tinteros, etc. (ver pág. 77). Hacían falta varios años de práctica para aprender a manejar la escritura jeroglífica adecuadamente.

Los campesinos

El campesino egipcio era quien realizaba el trabajo básico del país, de cuyo fruto surgió el esplendor de la civilización egipcia. Jurídicamente su situación osciló entre la servidumbre y una adscripción a la tierra que trabajaba; en cualquier caso siempre dependieron del propietario, bien fuera el faraón, un templo o un particular.

Su ritmo de vida venía marcado por las estaciones, en cada una de las cuales tenía un trabajo diferente que realizar. En la estación de la inundación, imposibilitado el campesino de realizar cualquier labor agrícola, podía ser llamado como obrero para las construcciones faraónicas.

Su forma de vida no era envidiable, pero sí menos dura de lo que algunos textos han descrito, especialmente como se relata en la *Sátira de los oficios*. Es cierto que del trabajo que realizaba sólo percibía una pequeña parte de la cosecha, ya que el resto era para el propietario de la tierra, y que muchas veces tenía que sufrir los abusos de los recaudadores de impuestos, pero conviene recordar las frecuentes amonestaciones del faraón a esos funcionarios, que muchas veces acababan

En esta escena, correspondiente a la dinastía XI, un sirviente arregla el tocado de la reina Kawit (que sostiene un espejo en sus manos) mientras otro le sirve un refresco. El trabajo doméstico en los hogares acomodados lo realizaban servidores libres o, en algunos casos, esclavos.

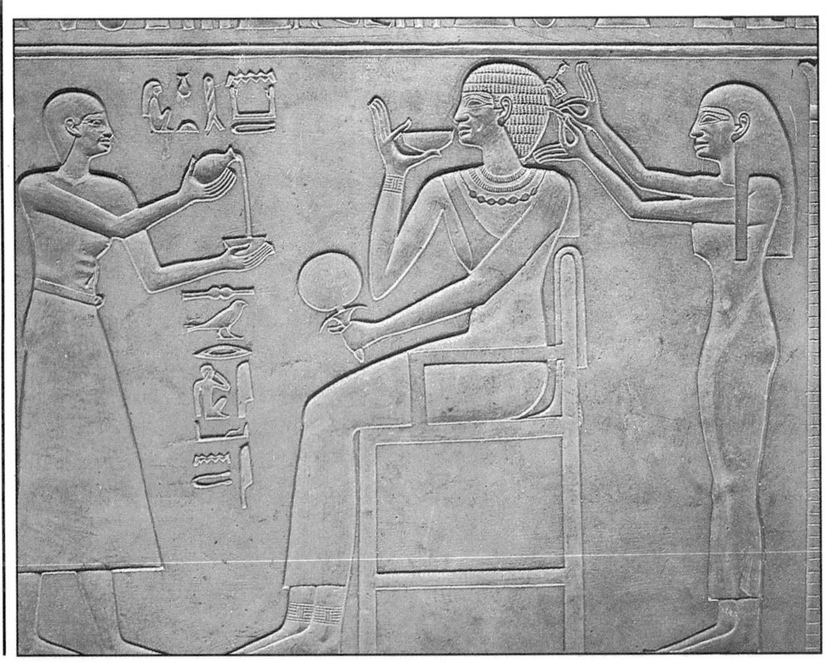

con castigos para ellos y reparaciones justas para los campesinos. Por otra parte, el *fellah* no estuvo nunca expuesto a pérdidas de cosechas por incursiones de vecinos codiciosos, por lo que su subsistencia resultaba más segura que en otras civilizaciones agrícolas de la antigüedad.

La tierra que trabajaba el campesino pertenecía, en un principio, al faraón, que arrendaba parte de ella a los funcionarios a cambio de un impuesto en especie. Con el transcurso del tiempo, una parte de esta tierra arrendada pasó a manos privadas, aunque siempre sujeta a impuestos. Otra parte de la tierra pasó a las fundaciones religiosas que, al contrario de las anteriores, estuvieron exentas de impuestos desde la primera donación. Con variaciones cuantitativas, esta triple división de la propiedad de la tierra se mantuvo a lo largo de los siglos.

No era fácil acceder a la propiedad de la tierra, pero para el campesino resultaba imposible dado el sistema económico establecido en el Antiguo Egipto. Existen documentos procedentes del Imperio Antiguo, que son actas de venta, actas de compra y de reparto de propiedades por herencia, pero también tenemos constancia de que un complejo sistema de impuestos aseguraba al faraón los recursos necesarios para el mantenimiento de su corte y sus proyectos.

La propiedad de la tierra

Nueve de cada diez egipcios vivían en el campo, y la mayor parte de ellos se dedicaban a las tareas agrícolas. No en vano la agricultura era la base de la economía del país. El nivel de vida de los campesinos era bajo, y distinto según trabajasen las tierras del rey (que, en teoría era dueño de todos los campos), de un templo o de una familia de altos funcionarios. El pago por su trabajo lo recibían en especies: grano, pan, vino, ropas... Aquí, un granjero ordeñando.

Obreros y artesanos

Las fundaciones religiosas tenían por objeto asegurar y mantener el culto a los dioses, pero también de los reyes y de los particulares tras su muerte. Para mantener este culto se donaban importantes propiedades, que estaban exentas de cargas fiscales. Los templos, depositarios de estas donaciones, alcanzaron con el tiempo gran poder e influencia gracias a ellas, convirtiéndose en grandes terratenientes.

Los obreros compartían con el campesinado la base de la pirámide social, pero dentro de este grupo existían notables diferencias de nivel de vida y consideración según fuesen artesanos u obreros comunes. Los primeros fueron hombres realmente hábiles, verdaderos artistas, como lo demuestran las obras que ha llegado hasta nuestros días. Podemos incluir en este grupo a los dibujantes, escultores, canteros, carpinteros, ebanistas, orfebres, joyeros, tejedores, metalúrgicos, curtidores y albañiles, que disfrutaban de un mejor nivel de vida y consideración por parte de las clases privilegiadas, especialmente en los momentos de expansión económica, cuando se iniciaban proyectos arquitectónicos.

En cambio, en las épocas de crisis económica la vida del obrero podía ser más miserable que la del campesi-

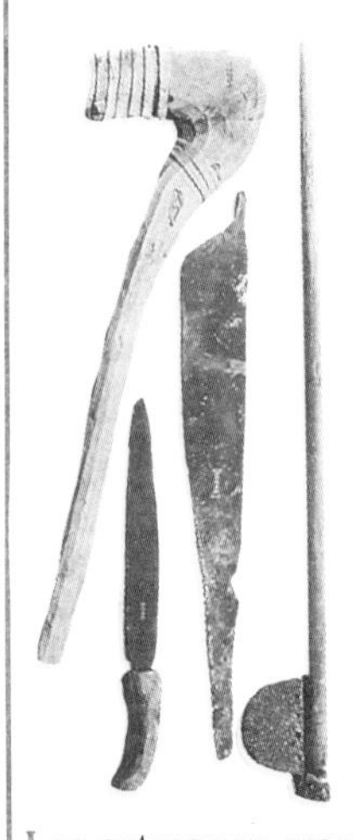

Los artesanos eran obreros especializados y gozaban de una consideración social superior a la de los no especializados. Su habilidad era notable, como lo demuestran los trabajos artesanales que conocemos. Utilizaban una amplia gama de herramientas: sierras, cinceles, hachas, taladros, mazos... Arriba, útiles de carpintero.

no, puesto que su trabajo era remunerado en especie (alimentos, cerveza, indumentaria, etc.), y si no trabajaban no percibían nada.

Los obreros nos especializados estaban peor retribuidos y, por tanto, su nivel de vida era inferior, al igual que el de los que ejercían otros oficios manuales como herreros, barberos, barqueros o tejedores. Sus condiciones de trabajo eran tolerables, trabajando turnos de diez días. Pero también, como los campesinos, sufrían el abuso de los funcionarios, que en ocasiones retrasaban el pago de los salarios, lo que provocó a veces respuestas menos pasivas que la del *fellah*. A este respecto, en la necrópolis de Tebas, hacia el 1170 a. C., los obreros que allí trabajaban protagonizaron la primera huelga conocida de la Historia al negarse a seguir con su labor en tanto no se les pagaran los salarios que se les adeudaban. Al grito de «¡Tenemos hambre!», abandonaron su trabajo, manifestándose fuera de la zona de trabajo, a la que no se reincorporaron, según los datos que han llegado hasta nosotros, hasta haber percibido todo lo adeudado. Sin embargo, resulta notable que, a pesar de la perfección técnica que alcanzaron en la ejecución de sus obras, pocas veces merecieron pasar a la inmortalidad.

Obreros y artesanos

Los orfebres, es decir, los artesanos que trabajaban con metales preciosos para hacer joyas y objetos de adorno, gozaban de una estima mayor que otros, pero no se les consideraba artistas tal y como hoy entendemos el término, a pesar de la calidad de sus creaciones. En esta imagen y en la de la página opuesta, labores de orfebrería.

Los esclavos

Los esclavos

No existen dudas de la existencia de la esclavitud en el Egipto Antiguo, pero sabemos poco acerca de todo lo relacionado con el aspecto legal de esta práctica.

La mayor parte de los textos egipcios que hablan de los esclavos proceden del Imperio Nuevo, cuando las campañas bélicas, con carácter imperial, conseguían gran número de prisioneros, que constituían parte del botín de guerra. La captura de estos prisioneros fue la principal fuente de abastecimiento de la esclavitud en Egipto, pasando todo ellos a ser propiedad del faraón.

Los hijos de los esclavos adquirían la misma condición que sus padres de forma automática, siendo ésta la segunda fuente de esclavitud en la sociedad egipcia.

Las condiciones de vida de estos esclavos eran variadas: los más desgraciados eran los que tenían que trabajar en las minas de oro y cobre de Nubia y el Si-

En algunas etapas de la historia de Egipto se llevaron a cabo brillantes campañas militares; así ocurrió durante el Imperio Nuevo (ver pág. 58), época en la que faraones como Tutankhamon lograron importantes victorias, capturando numerosos prisioneros que fueron llevados, como parte del botín, a Egipto, para ser utilizados como esclavos. En la imagen, prisioneros nubios.

naí, donde el tipo de trabajo y el clima producían gran mortandad; los que servían como criados en el palacio real o los templos eran más afortunados, al participar en cierto modo del nivel de vida de sus dueños.

A medida que aumentó el número de esclavos, éstos dejaron de ser privativos del rey y de los templos, haciéndose accesibles a los particulares. Las esclavas que llegaban a casarse con hombres libres libraban a sus hijos de esta condición.

Si alguno de los prisioneros mostraba cualidades o habilidades determinadas, se le dedicaba a trabajos específicos para obtener mayor rendimiento de él. Solamente ha llegado hasta nosotros el testimonio de un caso de manumisión (donación de la libertad), recogido en el *Papiro de Adopción*, en el que se refleja el carácter voluntario de la misma por parte del propietario, como un acto de benevolencia.

Los esclavos

Esta cajita de polvos para maquillaje, realizada en madera pintada, procede del Imperio Nuevo (dinastía XVIII), y representa un esclavo nubio cargado con una vasija.

4

De la cúspide al ocaso: un, camino de 3.000 años

Los estudios arqueológicos han logrado perfilar el largo proceso prehistórico que culminó con la formación de la temprana y espectacular civilización del Antiguo Egipto. En contra de algunas opiniones que suponían influencias exteriores en el surgimiento de esta cultura, los datos actuales permiten asegurar que su desarrollo y evolución se debieron a causas fundamentalmente internas, sin negar por ello posibles influencias de otros pueblos que habrían sido asimiladas por la cultura egipcia.

Hay datos sobre la vida en el valle del Nilo desde el Paleolítico. Durante el Neolítico, sus habitantes comenzaron a acondicionar el valle para lograr establecer en él una economía agrícola y ganadera, superando así la etapa de subsistencia de épocas anteriores.

La historia del Antiguo Egipto se inicia en el llamado período Protodinástico, más de 3.000 años antes de nuestra Era. Le siguen tres grandes períodos históricos: los Imperios Antiguo, Medio y Nuevo, cada uno de los cuales terminó con una etapa de crisis, a las que los

Anverso y reverso de la *Paleta de Narmer*, soberano del Sur, fundador de la dinastía I; realizada en esquisto, constituye uno de los testimonios más antiguos de la historia egipcia. Estas paletas eran objetos de uso cotidiano y se utilizaban para diluir las pinturas y mezclar los colores.

historiadores denominan Primer, Segundo y Tercer Período Intermedio, respectivamente. Tras el Tercer Período, seiscientos años de decadencia hicieron que el orgulloso Imperio de los faraones pasase a ser una más de las provincias del Imperio Romano.

La unificación de Egipto

Los períodos Predinástico y Protodinástico

A finales del Neolítico, en el período denominado Predinástico, se sucedieron varias culturas en el Alto y en el Bajo Egipto, cuyo estudio presenta gran complejidad, muy diferentes unas de otras. Pero a medida que nos acercamos al final del período Predinástico, se hace evidente el predominio que ejerce el Bajo sobre el Alto Egipto.

El Bajo Egipto incluía todos los distritos del Delta; en esta zona era indispensable un alto grado de organización para aprovechar adecuadamente las crecidas anuales del río, distribuir equitativamente las aguas y mantener en condiciones los canales de riego. No es difícil suponer que allí se daban condiciones favorables para la aparición de un líder, un organizador que, sin duda, también sería capaz de dirigir a los hombres en caso de enfrentamiento armado. Los oponentes más probables en un enfrentamiento tal eran los vecinos del valle, en el Alto Egipto, menos organizados. Las diferencias entre unos y otros existían e incluso adoraban a dioses diferentes: Seth en el Alto Egipto y Horus en el Bajo.

Al parecer, en los primeros siglos del IV milenio a. C., un rey enérgico, al mando de un ejército de adoradores de Horus, salió del Delta y venció a las gentes del Sur. Así se logró la primera unificación de Egipto. La capital fue Heliópolis.

La llamada *Paleta de la caza del león*, de la época predinástica, representa, mediante una escena de caza, la coalición militar de varios pueblos en los albores de la historia egipcia. Arriba, vasija de terracota pintada, realizada en la etapa protohistórica, hacia el 3500 a. C.

Las primeras dinastías

Pero la unión no duró, produciéndose la excisión entre Alto y Bajo Egipto. Y entonces se invirtieron los términos: fueron los caudillos del Alto Egipto los que lograron la victoria sobre las gentes del Delta, unificando de nuevo el territorio, pero ahora bajo su mandato.

No sabemos con certeza cuándo tuvo lugar esta unificación, puesto que los datos que han llegado hasta nuestros días sobre la misma resultan confusos e incompletos. Sabemos que al iniciarse el período Protodinástico ya estaba formado el Egipto faraónico: dos dinastías, originarias de Tinis (capital del Alto Egipto), hicieron a Menfis capital administrativa del país, gobernándolo desde allí.

A finales del período Predinástico ya se daban muchos de los rasgos culturales que definirían la civilización egipcia: agricultura muy desarrollada, economía autosuficiente, rechazo de los extranjeros... Utilizaban un sistema de escritura, contaban con una organización política condicionada por la agricultura, la artesanía y el comercio interno, y la sociedad estaba jerarquizada de manera mucho más compleja que la de las sociedades tribales próximas. La ciudad era el centro del control político y administrativo.

La *Paleta del toro*, predinástica, representa el triunfo del faraón, representado por el «Toro del Gran Poder», sobre sus enemigos. Procede de la región de Abydos.

En cuanto al período Protodinástico, para su estudio contamos con diversas fuentes, además de los registros arqueológicos: la *Piedra de Palermo*, el *Papiro de Turín*, las *Listas de Karnat, Abydos* y *Saqqara* y la obra de Manetón, historiador egipcio del siglo III a. C. En estas fuentes se menciona a Menes como el unificador de Egipto. El y sus sucesores hicieron suyas las tradiciones políticas y culturales predinásticas, sobre las que se basó la unificación del país. Según otras fuentes, los primeros reyes del Egipto unificado fueron Narmer y Aha, aunque tal vez alguno de estos nombres corresponda al mismo Menes.

Los reyes de las dinastías I y II, que forman el Protodinástico (entre el 3100 y el 2686 a. C., aproximadamente), crearon una administración capaz de mantener unido el valle del Nilo, así como un gobierno estable y centralizado que supo someter a su autoridad, en beneficio de la figura del faraón, a todas las instituciones del país. Esta unificación no produjo grandes cambios en la vida cotidiana de la población respecto al período anterior. Quizá aumentaran las cargas fiscales, bien en especie o en prestaciones personales, pero también habría más paz y seguridad contra el hambre, lo que parece explicar el incremento demográfico que se produjo en este período histórico.

Los reyes de la dinastía I fueron enterrados en Abydos; los de la dinastía II lo fueron en Saqqara, necrópolis muy próxima a Menfis. Saqqara fue utilizada durante la dinastía I para enterrar a funcionarios, arte-

La estela del rey Uto, llamado «Rey-Serpiente», de la dinastía I, es un relieve calcáreo procedente de Abydos, lugar del Egipto Medio en el que se han descubierto las tumbas de los más antiguos reyes egipcios. El halcón es Horus, el dios protector de la dinastía.

sanos y campesinos, lo que la convierte en documento valiosísimo para deducir las jerarquías sociales de la época atendiendo al ritual funerario practicado. La mejor ubicación geográfica de Menfis, en la línea divisoria entre el Alto y Bajo Egipto, fue definitiva para convertir a esta ciudad en la capital del reino durante este período.

En definitiva, durante el período Protodinástico la monarquía se organizó, creándose la corte real y precisándose el complejo ceremonial de entronización; se realizaron grandes obras de riego y desecación de zonas pantanosas; se desarrolló la escritura, para llevar la contabilidad y registrar las hazañas y virtudes del faraón; se pusieron en explotación las minas del desierto oriental; se realizaron expediciones de sometimiento a Nubia; se comerció con Palestina; los artistas, los artesanos, mejoraron sus técnicas, produciendo gran cantidad de objetos de lujo. Pero el mayor logro de este período fue la creación de una sociedad de privilegiados, lo que permitió que esta cultura sobreviviera en épocas de inestabilidad interna.

Horus, dios del Alto Egipto (a la izquierda) y Seth, dios del Bajo (a la izquierda), anudan las plantas del norte y del sur del país como símbolo de unión entre ambas regiones. La unidad del territorio constituyó una obsesión para los monarcas egipcios de todas las épocas.

El Imperio Antiguo

Durante el Imperio Antiguo (desde el 2686 al 2181 a. C.), Egipto se convirtió en un gran estado y su civilización pasó a ocupar un lugar preeminente en el mundo. Este período se inició con la dinastía III y terminó con la VI. Consolidada definitivamente la unidad del Alto y Bajo Egipto, el estado se organizó como una monarquía de derecho divino, en la que el faraón disponía de todos los poderes, ayudado para el gobierno por el visir en la capital del reino y los nomarcas en las provincias.

La capital del reino siguió siendo Menfis, en cuyo entorno se han encontrado los cementerios reales de la época.

Las creencias religiosas seguían presentando gran variedad y localismo, aunque la tendencia al sincretismo de los teólogos del Imperio Antiguo hizo que los distintos dioses locales llegaran a asimilarse al dios principal de su provincia. Las creencias funerarias, en cambio, se universalizaron, alcanzando a todas las capas de la sociedad. El predominio del culto funerario se com-

Imperio Antiguo

Esculturas realizadas en caliza del príncipe Rahotep y su esposa Nofrit, pertenecientes a la dinastía IV, durante el Imperio Antiguo. Se conservan en el Museo Egipcio de El Cairo.

Imperio Antiguo

Esta pirámide escalonada fue construida en Saqqara, dedicada al faraón Zoser, fundador de la dinastía III, quien ordenó su erección, como parte de un gran complejo funerario, al arquitecto real, Imhotep. El complejo se encontraba frente a Menfis. La pirámide está formada por una serie de mastabas superpuestas, con la tumba real enterrada bastante por debajo del suelo.

prueba por los restos de monumentos funerarios que han llegado hasta nuestros días. Fue precisamente la necesidad de mantener el culto funerario una de las causas de la decadencia de este período de la historia del Antiguo Egipto: las rentas destinadas a este fin empobrecieron el tesoro real, mermando considerablemente los ingresos del mismo al estar exentas de impuestos. Los templos de la época son menos conocidos, ya que desaparecieron durante el Primer Período Intermedio.

Desde el punto de vista artístico, el Imperio Antiguo alcanzó una técnica acabada y modélica para períodos posteriores. A partir de la dinastía III se abandonó el ladrillo de barro cocido para la construcción de los grandes monumentos, sustituyéndose por la piedra. A esta época pertenece la pirámide escalonada de Saqqara, las tres grandes pirámides y la esfinge de Gizeh, muestra también del poder económico de los faraones en ese momento. La columna de capitel floral, característica de la dinastía V, el uso de materiales más ricos, como el alabastro y la diorita, la escultura, los bajo relieves y las pocas muestras de pinturas con-

servadas nos muestran la perfección alcanzada por el arte de la época.

La llegada de la dinastía VI trajo consigo cambios substanciales en la organización del reino: se produjo una descentralización del poder, para caer luego en la anarquía. Las donaciones reales a fundaciones funerarias y a funcionarios provinciales, que llegaron a conseguir la transmisión hereditaria de su cargo, condujeron a que el poder del faraón disminuyera en beneficio de los sacerdotes y de los nomarcas.

Este proceso de descentralización se aceleró durante el reinado de Fiope II, durante el cual algún nomarca llegó a actuar con total independencia incluso en política exterior. A la muerte de Fiope II hubo una crisis dinástica y la administración menfita se hundió, iniciándose el Primer Período Intermedio.

La Gran Esfinge custodiaba la necrópolis de la meseta de Gizeh, ciudad de los muertos pertenecientes a la nobleza. Esta enorme estatua con el cuerpo de un león acostado y con la cabeza de un rey (el faraón Kefrén), mide 20 metros de alto y unos 60 de longitud. Los egipcios la consideraban la encarnación del dios-sol.

Primer Período Intermedio

Figurilla de marfil que representa a un dignatario del Primer Período Intermedio. Se conserva en el museo del Louvre (París).

El Primer Período Intermedio

El Primer Período Intermedio (del 2181 al 2040 a. C.) comprende las dinastías VII a X. Hasta la dinastía VIII la capital siguió siendo Menfis, pero el sur se fue emancipando poco a poco del poder menfita. El país cayó en un proceso de descomposición, como lo evidencian las continuas revueltas, luchas internas e invasiones que se produjeron. Fue una época de crisis grave, posiblemente debida a que en ella se produjeron profundos cambios climáticos, que hicieron bajar el caudal del Nilo hasta el punto de que se podía cruzar a pie, lo que alteró toda la economía egipcia, basada en la agricultura.

Durante la dinastía IX los príncipes del norte (llamados Heti) constituyeron una nueva unidad política, cuya capital fue Heracleópolis Magna. Lograron el poder en la zona, aunque algunos nomos continuaron independientes y fueron fuente de rencillas y enfrentamientos.

Paralelamente existía otro núcleo de poder cuyo centro era Tebas. Esta situación se mantuvo hasta la dinastía XI, que supuso el triunfo de los príncipes tebanos sobre los de Heracleópolis y su entronización, con la ayuda de algunas provincias, sobre un Egipto de nuevo unificado.

La inestabilidad interna de este período provocó una crisis económica que hizo disminuir el nivel de vida de la población y produjo una ruptura de las relaciones económicas con el exterior.

En cuanto a las actividades artísticas, tuvo lugar una «provincialización» del arte, lo que motivó la aparición de distintas escuelas o talleres de producción caracterizados, en líneas generales, por la espontaneidad y el populismo de sus creaciones.

En el aspecto religioso hubo un renacimiento de las divinidades locales y provinciales paralelo a la expansión del culto a Osiris. Los ritos funerarios se democratizaron hasta el punto de que los particulares gozaban de algunas prerrogativas (antes reservadas a la realeza) relativas a la vida de ultratumba, como lo demuestran los textos hallados sobre las paredes interiores de los sarcófagos de madera, característicos de esta época.

El Imperio Medio

Con la entronización de los príncipes tebanos, durante la dinastía XI, se inicia el Imperio Medio del Egipto Antiguo (del 2133 al 1786 a. C.). Esta nueva fase histórica comprende las dinastías XI y XII. La característica más importante de esta etapa es el esfuerzo por restaurar el sistema político y administrativo existente en el Imperio Antiguo, lo que entrañaba una serie de dificultades cuya raíz se encontraba en que el acceso al poder de los príncipes tebanos había requerido la ayuda de varias provincias, a cuyos nomarcas hubo que respetar un grado de autonomía que chocaba con los intereses centralizadores de los faraones. Retomar el control de estas provincias fue un proceso lento y sólo pudo lograrse durante la dinastía XII, en la que el faraón logró asumir los mismos poderes que poseía en épocas anteriores. Con este mismo objetivo fue práctica habitual en el Imperio Medio, para asegurar

Imperio Medio

El faraón Sesostris I, de la dinastía XII, fue un activo constructor de templos y monumentos. Es el héroe, junto con Sinuhé, de *La historia de Sinuhé*, auténtica novela propagandística escrita en forma autobiográfica, donde se narran las hazañas, victorias y virtudes del monarca. Existen otros dos ejemplos notables de literatura egipcia escrita como propaganda del poder: *La profecía de Neferti* y *La educación del rey Ammenemes*.

Imperio Medio

la continuidad de la monarquía, asociar al gobierno al príncipe primogénito como corregente en vida del faraón.

El Imperio Medio fue una época de esplendor, tanto en el aspecto económico como en el cultural. Desde el punto de vista económico se restablecieron las relaciones comerciales con el exterior, ampliándose las áreas de intercambio al País de Punt, Palestina, Siria y Creta. Se reabrieron las minas de turquesas del Sinaí, lo que implicaba el control de las tribus nómadas de la región; también se pusieron en explotación las minas de oro de la zona. Existe constancia de expediciones a Nubia para recuperar el control de esta región, que durante el Primer Período Intermedio se había independizado, y de expediciones a Libia para contener a los vecinos occidentales.

En el aspecto cultural tuvo lugar un renacimiento de las artes y de las letras, con una fase de esplendor casi similar a la del Imperio Antiguo. Se reactivó el arte, con

Piedra conmemorativa del príncipe Sebeki (Imperio Medio, dinastía XII, hacia el año 1970 a. C.). Se trata de un relieve realizado en piedra caliza. Se conserva en el Museo Egipcio de Munich.

la construcción de templos y monumentos funerarios. En literatura se llegó a la época clásica, con relatos como *La historia de Sinuhé*, *Cuento del náufrago* o el *Papiro de Westcar*. De esta época son los *Papiros Médicos* y los *Papiros Matemáticos*, aun cuando las copias que han llegado hasta nuestros días fueron realizadas durante el Imperio Nuevo.

De hecho, durante el Imperio Medio se alcanzó una prosperidad considerable que se tradujo en un desarrollo cultural en todas sus manifestaciones; no es de extrañar que se le considere como una continuación del Imperio Antiguo.

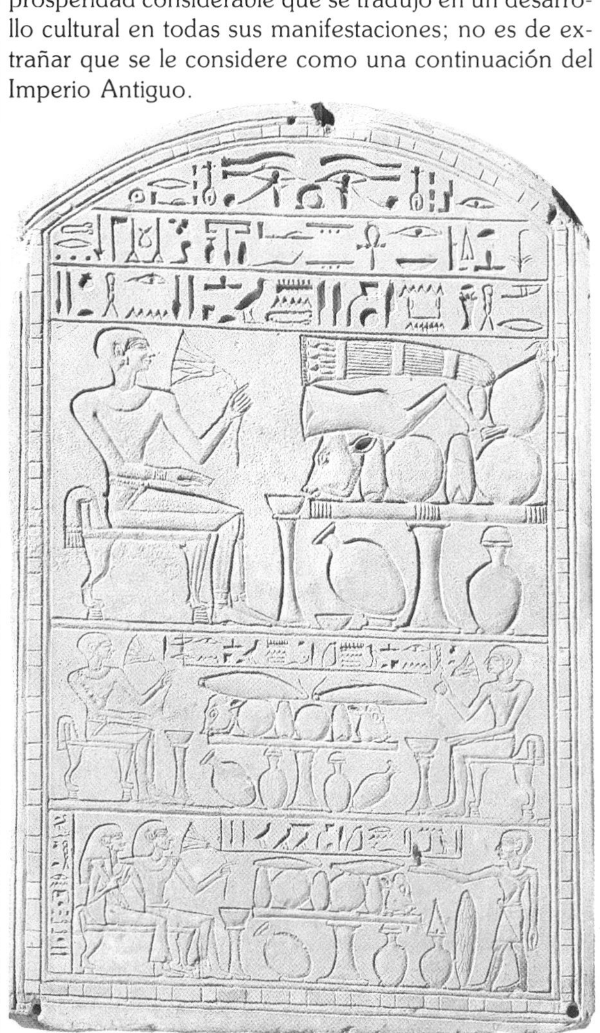

Estela funeraria del faraón Mentuhotep, el más brillante de la dinastía XI, que logró reinar sobre un Egipto reunificado tras años de fuertes luchas. Se hizo construir, cerca de Tebas, una tumba de concepción arquitectónica enteramente nueva.

Segundo Período Intermedio

Estatua de la esposa de un nomarca, hallada en el túmulo funerario perteneciente a un gobernador del Segundo Período Intermedio.

El Segundo Período Intermedio

Durante la dinastía XIII se produjo un nuevo proceso de desintegración del poder central, iniciándose así lo que conocemos como Segundo Período Intermedio (del 1786 al 1567 a. C.).

El estudio de este período de la historia de Egipto presenta serias dificultades porque los documentos inmediatos a la época y los historiadores egipcios posteriores falsearon conscientemente la verdad para intentar explicar el proceso histórico como una continuidad de dinastías, excluyendo la posibilidad de que coexistieran varios reinos al mismo tiempo, como sucedió en realidad. La defensa de que solamente podía haber una monarquía legítima, que es lo que subyace en las etapas de mayor esplendor del Antiguo Egipto, se convirtió en objetivo fundamental de los historiadores de la época, aunque para ello hubiesen de retocar los hechos históricos. Por otra parte, y dentro de esta línea de actuación, hay una marcada insistencia en culpar a los extranjeros de la fragmentación e inestabilidad del país, minimizando otras causas internas.

Ya a finales del Imperio Medio, Egipto contaba entre su población con un número elevado de extranjeros. El fenómeno de la inmigración a las tierras egipcias de grupos étnicos procedentes de otras regiones se había dado a lo largo de todos los tiempos, pero a partir de las dinastías XII y XIII alcanzó niveles preocupantes. En el *Papiro de Brooklin* se menciona la gran cantidad de asiáticos que trabajaban en las explotaciones agrícolas egipcias. Estos extranjeros se hallaban asimilados, en mayor o menor grado dentro de la sociedad en la que vivían y, por lo general, realizaban tareas duras y poco especializadas. Nunca se les había considerado, al parecer, como un peligro potencial, y sólo la debilidad de los últimos monarcas de la dinastía XIII hizo posible que se convirtiesen en fuente de conflictos.

La dinastía XIII gobernó Egipto durante unos ciento cincuenta años (a una media de tan sólo dos años por faraón, lo que ya sugiere la existencia de una crisis). En ellos se fue produciendo, poco a poco, un debilitamiento del poder central, que dio lugar a que las ciudades fuesen adquiriendo cada vez mayor autonomía. Las causas de este fenómeno no se conocen.

Los hicsos

Hacia el siglo XVII a. C., un grupo heterogéneo de semitas y asiáticos invadió el norte de Egipto y arrebató el poder de las débiles manos del último monarca de la dinastía XIII. El historiador griego Manetón (siglo IV a. C.) se refiere a ellos con el nombre de hicsos, aunque tal vez ese nombre no sea más que una traducción del término que los egipcios empleaban para denominar a los invasores extranjeros en general. Al parecer, esta invasión se produjo dentro del marco de un movimiento migratorio general que tuvo lugar durante esa época en Oriente Medio.

Según Manetón, los hicsos constituyeron las dinastías XV y XVI. Edificaron su capital en Avarias, en la zona nororiental del Delta, dotándola de fortificaciones desconocidas hasta entonces por los egipcios. Desde ella gobernaron el Bajo y parte del Alto Egipto durante alrededor de cien años. Sólo Tebas, en el Sur, mantuvo su independencia.

Los invasores adoptaron de inmediato las costumbres egipcias (dioses, lengua, escritura, vestidos, tradiciones, títulos...), considerándose y siendo considerados como sucesores legítimos de los faraones tradicionales. Embellecieron y ampliaron los templos y escribieron sus nombres en los monumentos de épocas anteriores. Para gobernar hicieron uso muy probablemente de colaboradores del país. Aunque los historiadores egipcios se refirieron después a ellos como bárbaros, enemigos de las tradiciones y destructores de templos, lo cierto es que aportaron muchos elementos positivos a Egipto y no interfirieron en su cultura tradicional.

Los hicsos establecieron relaciones comerciales con diversos pueblos asiáticos, lo que hizo llegar a Egipto nuevos productos y nuevas técnicas, algo muy necesario para la cerrada sociedad egipcia. Introdujeron el caballo, el carro, el arco compuesto, un tipo perfeccionado de hacha de combate, nuevas técnicas de fortificación y diversos elementos de la cultura del Bronce avanzada. En resumen, hicieron que el Valle del Nilo se incorporase plenamente a la cultura de la Edad del Bronce.

Los faraones hicsos gobernaban la mayor parte de Egipto, pero en Tebas, al Sur, otros faraones mantenían

Hicsos y menfitas

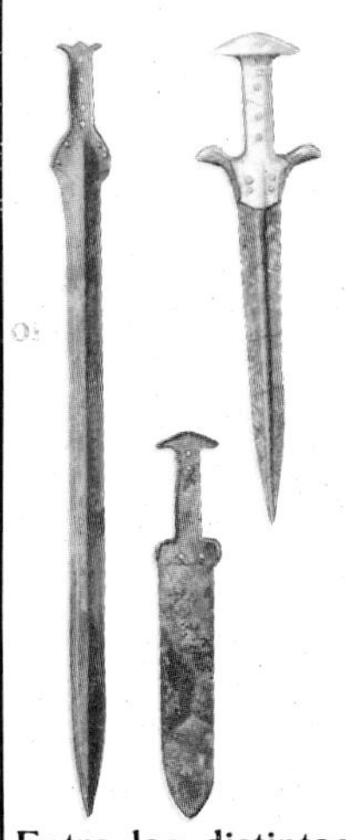

Entre las distintas espadas que utilizaban los guerreros en la Edad del Bronce existían modelos mucho más eficaces que otros para el combate. La espada larga de filo cortante (izquierda) resulta bastante más eficaz que las cortas. Este tipo de espada, aunque hecha de hierro en vez de bronce, fue utilizada por griegos y romanos hasta el siglo III a. C.

Hicsos y menfitas

un reducto de independencia, del que partiría la ofensiva que acabaría con el dominio hicso. Además, algunas ciudades gozaban de una relativa independencia, aunque sus reyes eran clientes de los hicsos.

El faraón tebano Kamose inició la reconquista del país. Hacia el 1567 a. C., Avaris cayó en manos de su sucesor, Ahmose, fundador de la dinastía XVII, que logró la unificación del país. Así terminaron 108 años de dominio hicso sobre Egipto.

En la última etapa de la guerra de liberación de los tebanos contra los hicsos se utilizaron toda una nueva serie de armas, procedentes de Asia: el carro de combate, tirado por caballos; la armadura de láminas en forma de escamas; nuevos tipos de arco, de puñales y de espadas.

La avanzada tecnología bélica que adquirió Egipto durante este período fue trascendental para el poderío militar que alcanzó el país durante la etapa siguiente de su historia, la que conocemos como Imperio Nuevo.

Faraón, con todo su armamento, en un carro de guerra. El carro es de un modelo avanzado, con ruedas resistentes y ligeras, provistas de seis radios. Esta imagen indica el notable desarrollo bélico de los ejércitos egipcios durante el Segundo Período Intermedio.

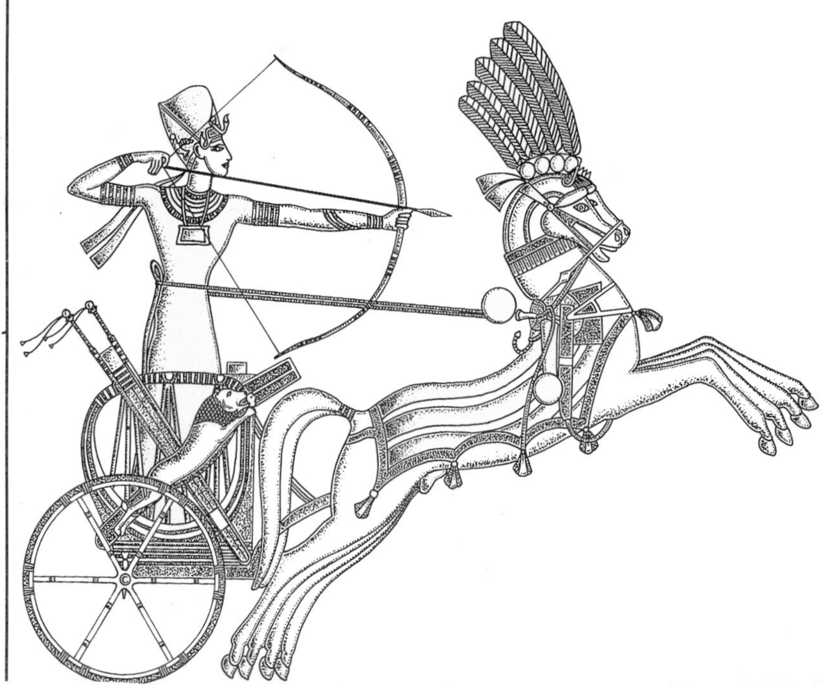

Tanta o mayor importancia que estos elementos de destrucción tienen los inventos para fines pacíficos que se desarrollaron durante esta época, tales como métodos más eficaces para hilar y tejer, utilizando un nuevo telar vertical. Asimismo, se inventaron o se tomaron de otras culturas nuevos instrumentos musicales, como la lira, el laúd, el oboe, la pandereta y otros.

También en esta época se introdujeron en Egipto los toros con joroba, de procedencia asiática, probablemente gracias a los intercambios comerciales de los hicsos. Asimismo, comenzaron a cultivarse nuevos vegetales desconocidos hasta el momento en el valle del Nilo, como el olivo y el granado.

Los egipcios eran muy aficionados a la música, y desarrollaron o perfeccionaron diversos instrumentos.

Epoca de expansionismo

El Imperio Nuevo

El Imperio Nuevo discurrió entre los años 1552 y 1069 a. C. Durante el mismo ocuparon el poder las dinastías XVIII, XIX y XX. Quizá la característica más notable de este período histórico sea el constante estado de guerra que vivió el país, provocado por su afán expansionista, que al principio estaba justificado como precaución ante posibles invasiones, y más tarde para conjurar el peligro que suponían algunos vecinos especialmente belicosos, como los mitanios y los hititas. Esta actitud de «expansionismo por precaución» requirió el desarrollo de un ejército permanente, profesionalizado, preparado para emprender una campaña bélica en cualquier momento. Las nuevas y poderosas armas de que disponían desde la guerra contra los hicsos resultaron de-

Esta imagen representa al faraón Tutankhamon en su carro de guerra. La tumba de este rey fue descubierta, intacta, por el egiptólogo inglés Howard Carter, en 1922, tras ocho años de búsqueda. Tutankhamon tuvo un reinado corto pero brillante.

finitivas en esta época. La expansión egipcia y su consiguiente predominancia en el Levante mediterráneo trajo consigo un incremento sustancial de los ingresos reales. Como consecuencia, se construyeron palacios y templos monumentales, decorados con gran riqueza.

Asimismo, esta política expansionista provocó modificaciones en la estructura interna del gobierno, cuya inmutabilidad había sido tenazmente defendida durante los Imperios Antiguo y Medio. Sin cuestionar la posición predominante del faraón, se hizo necesario buscar la máxima eficacia en el funcionamiento del país, a causa entre otras razones de la ampliación del Imperio producida por la conquista de nuevos territorios. Esto dio lugar a que surgieran otros centros de poder, complemen-

El Imperio Nuevo

El Imperio Nuevo estuvo marcado por la guerra. En el 1284 a. C., tuvo lugar la batalla de Qadesh, en la que los egipcios, bajo el mando del faraón Ramsés II estuvieron al borde de sufrir una derrota desastrosa ante los hititas, logrando en última instancia que el enfrentamiento acabara en empate. Su sucesor, Ramsés III, hubo de enfrentarse a la invasión de los llamados «pueblos del mar», que provocaron una auténtica catśtrofe en todo el Oriente Próximo. Ramsés III logró detenerlos a duras penas, enfrentado a la vez a los ataques de los libios.

El Imperio Nuevo

tarios al principio del gobierno central, pero que con el tiempo buscaron la autonomía y provocaron luchas internas y, por último, el final del Imperio Nuevo.

Las capitales del Imperio Nuevo fueron Tebas y Menfis conjuntamente. A partir de Ramsés II adquirió rango de capital del reino otra ciudad, Pi-Rameses.

Económica y socialmente este período fue al parecer de bienestar y seguridad, dejando aparte los abusos de los recaudadores y la ineficacia de la administración en casos concretos.

Con la dinastía XX (1200 a 1085 a. C.) se inició un período de decadencia. Parte de los territorios conquistados se perdió y se empezó a poner en duda el papel predominante de Egipto entre los reinos de la zona. Surgieron disensiones internas, alimentadas por la poderosa clase sacerdotal y por los príncipes y gobernadores de las provincias. Todo ello hizo disminuir el prestigio político del faraón. Terminaba la última etapa de gran esplendor del Antiguo Egipto.

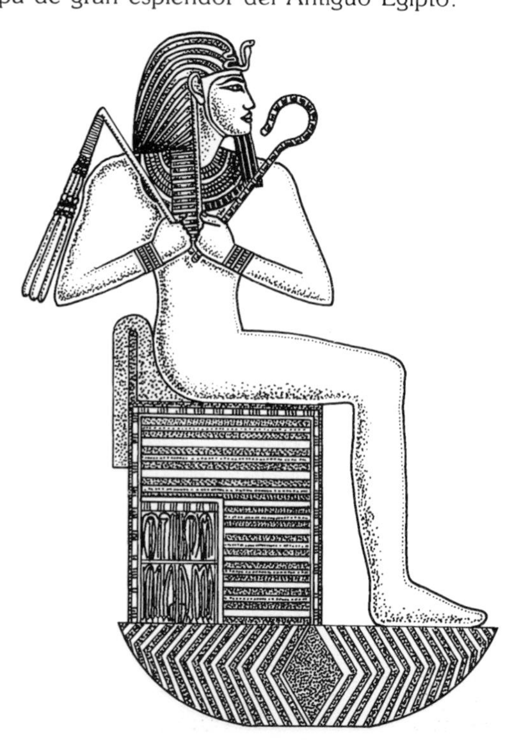

Dibujo del faraón Sethi I momificado (Imperio Nuevo, dinastía XIX), provisto de los atributos de Osiris, realizado a partir de un relieve del templo del rey. Arriba, detalle de la estatua de Ramsés II, el gran faraón de la dinastía XIX. En la página opuesta, faraón de la dinastía XX con su esposa.

Comienza el crepúsculo

Retrato de un sacerdote del Tercer Período Intermedio, procedente de Saqqara. Está labrado en basalto azul.

El Tercer Período Intermedio

Este período, que se extiende entre el 1069 y el 343 a. C., se caracterizó por la fragmentación y la «feudalización» política y social. A lo largo del mismo el poder de la clase sacerdotal creció de manera continuada. La monarquía centralizada dio paso a un régimen señorial que afectó tanto a las propiedades de los templos como a las de los nobles terratenientes.

Junto a los grupos sociales tradicionales se produjo el surgimiento de una nueva clase: los comerciantes y prestamistas, que surgieron en las ciudades del Delta y adquirieron con rapidez una gran influencia, que se hizo sentir con fuerza en los acontecimientos políticos del período que nos ocupa. Establecieron intercambios comerciales con los distintos pueblos del Mediterráneo, y por ello fueron la causa de que los hechos históricos que tuvieron lugar en otras regiones afectasen a la historia egipcia, en la medida en que tales hechos tuviesen importancia económica.

A lo largo de este período, Egipto sufrió el dominio de diferentes pueblos extranjeros. Libios, palestinos, nubios, persas y griegos intentaron la conquista del país, y algunos lo consiguieron: libios, persas y griegos ocuparon el poder durante largos períodos de tiempo. A pesar de ello, la civilización egipcia, lejos de ser anulada, influyó considerablemente sobre la cultura de los dominadores, que la adoptaron en gran medida como suya.

Los libios llegaron a Egipto como mercenarios al servicio de los faraones ramésidas; su poder fue en aumento a medida que se fueron haciendo con el control del ejército. Uno de los faraones libios más poderosos fue Sheshonq, que tomó el título real y trasladó la capital del reino a Bubastris, iniciando la dinastía XXII (950 a. C.). Los intentos de centralización del poder por parte de esta dinastía fracasaron, fallando sus medidas tendentes a lograr el apoyo de los sacerdotes, entre ellas la concesión de importantes donativos a los templos, a pesar de la pobreza de las arcas reales. No lograron evitar la fragmentación del poder entre los nobles.

Uno de los hechos más significativos ocurrido durante el reinado de la dinastía XXII fue la conquista de Jerusalén. Además del rico botín obtenido, permitió abrir nuevas rutas comerciales, que beneficiaron a la nueva clase de los mercaderes y propiciaron la introducción de nuevas ideas en la muy tradicional sociedad egipcia.

Hacia el 730 a. C., Egipto se encontraba en un estado de guerra civil intermitente. Los príncipes locales exigían la autonomía de sus territorios, rechazando la autoridad central. Era la situación idónea para que triunfase una invasión.

Los invasores que se aprovecharon de la debilidad egipcia en esta ocasión fueron los nubios que, procedentes de regiones más allá de la Cuarta Catarata, conquistaron a los que habían sido sus antiguos dominadores, ya que habían formado parte de los dominios egipcios hasta el Imperio Nuevo, durante el cual lograron la independencia.

Los nubios no tuvieron que esforzarse para adoptar las costumbres egipcias, ya que las conocían y, en gran medida, eran las suyas. Se puede decir que, en muchos aspectos, eran más egipcios que los propios habitantes de Egipto. El rey nubio Peye fundó la dinastía XXV; durante alrededor de 70 años, el país estuvo gobernado por faraones negros.

La dinastía nubia cayó bajo el feroz empuje de los guerreros asirios que, provistos de armas de hierro, más poderosas que las de bronce de las que disponían los egipcios, remontaron el Valle del Nilo como un huracán hasta llegar a Tebas.

No duró mucho la dominación asiria. Un astuto príncipe logró convencer a los asirios de que era mucho más ventajoso gobernar el país por medio de un noble egipcio (él mismo) que mantener en él a sus tropas. Los asirios se retiraron y, acuciados por nuevos y graves problemas, jamás regresaron. El príncipe que consiguió esta victoria pacífica fue Psamético, que fundó la dinastía XXVI apoyado por las clases urbanas y por los comerciantes, y restableció la monarquía centralista.

La dinastía XXVI, denominada saita por Sais, su capital y villa natal de Psamético, dio a Egipto un período de tranquilidad y prosperidad relativas. Durante la misma se desarrolló notablemente el comercio, sobre todo con la zona del Egeo; para ello se contaba con una importante flota. También fue una época de florecimiento cultural y artístico, siguiendo el modelo de tiempos an-

Los saítas

Retrato de un faraón de la dinastía XXVI, que muestra el gran refinamiento técnico alcanzado por los escultores de la época.

Caída de los saítas

teriores. El pasado ejerció una gran fascinación sobre los egipcios de este período histórico.

El secreto de Psamético era su capacidad como hombre de negocios. En un estilo que recuerda al de nuestras actuales cámaras de comercio, invitó a todos los pueblos mercantilmente desarrollados de la época a que instalasen representaciones comerciales en Egipto y a que fomentasen los intercambios comerciales. Gracias a ello, Egipto se convirtió en un gran exportador de trigo: durante los siglos siguientes, las mieses de las riberas del Nilo fueron un elemento fundamental para la alimentación de la cuenca del Mediterráneo, lo que proporcionó a los egipcios no sólo sustanciosos ingresos económicos, sino también un elemento importante de control político en la zona. Pero, como consecuencia, Egipto se convirtió en un objetivo codiciado para varias naciones poderosas.

Pero la clase sacerdotal, obstinada en mantener sus antiguos privilegios, sostenía posturas contrarias a la ac-

Detalle del sarcófago de un sacerdote de la etapa saíta, que constituye un buen ejemplo del arte de la época, en la que se recuperaron las técnicas del Imperio Medio.

tividad comercial desplegada hacia el Mediterráneo. La hostilidad y las rencillas internas provocadas por esta disparidad de criterios debilitaron al Imperio e hicieron posible la conquista de éste por los persas en el 525 a. C.

Los persas constituyeron la dinastía XXVII, la de los Aqueménidas, que reinó durante algo más de cien años; se aliaron con las clases tradicionales, acabando con las tendencias modernizadoras llegadas gracias a los intercambios comerciales. Por fin, con la ayuda de los griegos, los egipcios expulsaron a los persas el 404 a. C.

Los persas

Durante las dinastías XXVII a XXX gobernaron el Imperio faraones egipcios, pero de nuevo las luchas internas hicieron posible, o al menos facilitaron, que los persas reconquistaran Egipto. Aquí, estatua arrodillada de un príncipe de la época de la dinastía XXX, etapa de los últimos faraones egipcios. Se conserva en el museo del Louvre (París). Arriba, un faraón nubio, Taharka (dinastía XXV) con cuerpo de león como símbolo protector, según la tradición escultórica de Menfis; en la estatua se advierten claramente sus rasgos negroides.

Alejandro *el Magno*

El Período Helenístico

Otra vez los egipcios recurrieron a los griegos para liberarse del yugo persa. El liberador fue Alejandro III de Macedonia, *el Magno*, que derrotó al poderoso ejército persa en Gránico primero y en Isos después, adueñándose del territorio egipcio.

Alejandro fue recibido como un libertador, y se le consideró como sucesor legítimo de los faraones. Se inició una etapa de esplendor cultural, resultado de la fusión de las culturas griega y egipcia. Alejandría, la ciudad fundada por el libertador en el emplazamiento de una aldea de pescadores, se convirtió en la capital económica e intelectual del mundo mediterráneo.

A la muerte de Alejandro, uno de sus generales, Ptolomeo, fundó la dinastía Lágida. Fueron reyes absolutistas, que practicaron un fuerte dirigismo económico. Durante esta etapa se produjeron frecuentes luchas intestinas por alcanzar el poder, hasta el punto de que los ciudadanos de Alejandría hubieron de «poner orden» en ocasiones, dirimiendo las disputas entre los aspirantes al trono.

Alejandro *el Magno* de Macedonia fue mejor guerrero y conquistador que gobernante. Adoptó las costumbres persas tras conquistar su imperio, lo que no agradó a sus compañeros de armas, al igual que su matrimonio con la princesa Roxana y su pretensión de ser considerado como un dios. A su muerte, sus generales se repartieron el enorme imperio que había conquistado, tras dar muerte a Roxana y a su hijo. En este camafeo, Alejandro y su esposa Roxana.

La Epoca Romana

A partir del siglo II a. C., los romanos se convirtieron en la potencia hegemónica del Mediterráneo, pasando a ser los árbitros en las luchas internas que se producían por el poder en Egipto que, de hecho, se convirtió en un protectorado de Roma.

La última reina de la dinastía Lágida, Cleopatra, se vio envuelta en las disputas que enfrentaron a los miembros del Primer Triunvirato Romano. Julio César se casó con ella y, al parecer, concibió la idea de fundar una nueva dinastía hereditaria a partir del hijo de ambos, Cesarión. Su muerte acabó con este proyecto.

Cleopatra intentó unificar Oriente bajo la hegemonía de Egipto. Cuando el general romano Marco Antonio fue puesto al mando de las provincias orientales de Roma, Cleopatra buscó su ayuda para mantener la independencia de Egipto; se casó con él e hizo que se enfrentase con el poder central. Las tropas de Marco Antonio y Cleopatra fueron derrotadas en la batalla de Actium, y ambos se suicidaron en Alejandría. Egipto pasó a ser tras ello una provincia más del Imperio Romano.

Roma y Egipto

Cleopatra, reina de Egipto, intentó todo tipo de maniobras para mantenerse en el trono: logró que Julio César la confirmase en el trono y más tarde se casó con Antonio, miembro (con Octavio y Lépido) del triunvirato que sucedió a César. Octavio no aprobó el matrimonio de Antonio y Cleopatra, lo que dio lugar a un enfrentamiento bélico entre las tropas romanas fieles a Antonio, apoyadas por los egipcios, y las fuerzas enviadas por Octavio, que resultaron vencedoras en la batalla de Actium. Egipto se convirtió en provincia de Roma.

5

El mundo de las creencias religiosas

La religiosidad del pueblo egipcio estaba presente en todos los actos de la vida cotidiana e incluso más allá de la vida terrena.

En un principio los egipcios adoraron los fenómenos de la naturaleza; luego, las cualidades de algunos animales, y por último acabaron descubriendo a los dioses antropomorfos. En realidad nunca llegaron a abandonar esta triple adoración y su solución fue fundirla, creando esos dioses con cualidades de la naturaleza y atributos zoomorfos cuya representación es tan habitual en tumbas y templos.

A esta compleja evolución del sentimiento religioso egipcio debemos añadir la existencia de distintos dioses

Sennefer y su esposa adoran a Osiris bajo la parra funeraria. Pintura de la dinastía XVIII, hallada en una tumba de Tebas. Los jeroglíficos dibujados en la pared son textos fúnebres.

provinciales junto a multitud de dioses locales, con sus cualidades específicas y que, temporalmente, podían ser absorbidos por los primeros según la importancia política que alcanzara la ciudad natal del dios.

Esta pluralidad hace difícil explicar el mundo religioso del Egipto Antiguo. Sin duda no existió en la antigüedad ninguna otra cultura con tantos textos religiosos como ésta; pero en cambio no se conoce ningún libro sistemático que exponga el conjunto de creencias de este pueblo. Los *Textos de las Pirámides*, los *Textos de los Sarcófagos* y el *Libro de los Muertos* son, básicamente, los elementos que han servido para tratar de entender las creencias de los egipcios, aun sabiendo que en ellos se recogen relatos y admoniciones hechas para los dioses.

Aunque hay varias leyendas que explican el nacimiento del mundo y se atribuye tal mérito a diferentes dioses, los egipcios creían que del caos universal de las aguas primordiales surgió un montón de tierra o limo, en la que pronto aparecieron las primeras formas de vi-

Este relieve sobre basalto, denominado *El sol, origen de la vida*, es un detalle de la tapa del sarcófago de un escriba contable real del período ptolemaico.

Dioses egipcios

Los dioses más importantes del panteón egipcio (página contigua). Isis, hermana-esposa de Osiris. Osiris, dios de la tierra y la vegetación. Horus, dios halcón, hijo de los anteriores. Seth, señor del Alto Egipto. Hator, deidad del amor. Amón, dios de Tebas. Ptah, dios de Menfis. Re o Ra, dios-sol. Nefthys, hermana de Isis. Anubis, dios-chacal. Thoth, dios de la sabiduría. Sobek, dios cocodrilo. Arriba, Herishef, dios local de Heracleópolis.

da gracias al espíritu creador, el Sol. El Sol fue uno de los fenómenos naturales más adorado por este pueblo que, además, le dio diversos nombres, siendo Re el más famoso. El primer trabajo de Re, según este mito cosmogónico fue crear a los dioses y a los hombres.

De entre los dioses zoomorfos cabe destacar a Khnum, con figura de carnero y asociado a la creación del mundo; Anubis, con figura de chacal, considerado el guardián de las tumbas; Thoth, representado como un ibis, dios de la ciencia y de la sabiduría. La pervivencia del culto a estos dioses y la aparición de dioses antropomorfos fue la causa de que su representación adquiriera algunos cambios: conservaron su cabeza animal, pero su cuerpo adquirió forma humana.

Uno de los primeros dioses representado bajo forma humana fue Ptah, considerado como el artífice de las artes. Natural de Menfis, fue el dios más poderoso del Imperio Antiguo y bajo su advocación se construyeron los más impresionantes monumentos funerarios de la antigüedad.

El mito mejor conocido es el de Osiris. El Cielo y la Tierra tuvieron cuatro hijos: Osiris, Seth, Isis y Nefthis. Osiris era el dios de la naturaleza, el espíritu de la vegetación. Asesinado y descuartizado por su hermano Seth, resucitó para gobernar en el mundo de ultratumba, gracias a los esfuerzos de Isis, su esposa, que recorrió la tierra hasta lograr reunir todos sus miembros dispersos. El hijo de Osiris e Isis, Horus, venció a Seth, arrebatándole el gobierno de la tierra y ocupando su lugar.

Según este mito, Osiris representaba todo lo beneficioso y fructífero; Seth la destrucción y la perversidad; Isis había instituido la familia y enseñaba a los hombres cómo hacer el trabajo cotidiano, y Nefthis, esposa de Seth, era la reina de los muertos y abandonó a su marido cuando éste mató a Osiris.

Los faraones, siguiendo la leyenda tradicional, cuando iniciaban su gobierno lo hacían como encarnación de Horus, y al morir se convertían en Osiris para reinar en el mundo de los muertos.

La preponderancia de un dios sobre los demás iba ligada al triunfo político de su ciudad natal; es decir, cuando los príncipes lograban el poder, después de una época de crisis, lo atribuían al favor de su dios y, en agra-

HORUS

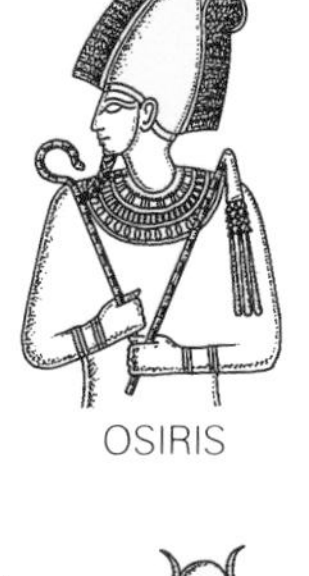
OSIRIS

ISIS

AMON

HATOR

SETH

NEFTHYS

RE

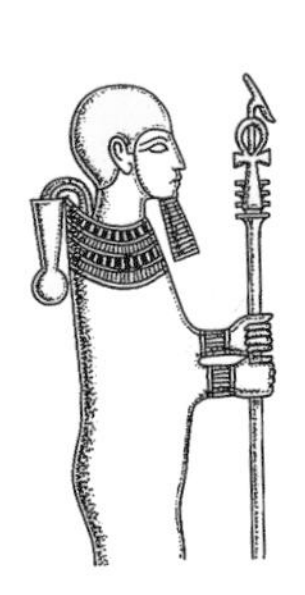
PTAH

SOBEK

THOTH

ANUBIS

Dioses egipcios

Dioses egipcios menores: Sejmet, diosa-leona (izquierda) responsable de las epidemias; Bes, protectora contra los malos espíritus (centro) y Taoeris, diosa-hipopótamo, protectora de los niños y las madres. (derecha).

decimiento, extendían su culto a todos los territorios que estaban bajo su dominio. El faraón pasaba a ser considerado la encarnación de ese dios o la de su hijo. Así sucedió durante la dinastía IV, en que la ciudad del dios Re, Heliópolis, cobró gran influencia y el faraón, de forma expresa, se convirtió en hijo de este dios; o con Amón, dios natural de Tebas, que llegó a ser una de las divinidades más poderosas hasta el ocaso del Antiguo Egipto, después de la reunificación del Imperio por los príncipes tebanos.

Con el transcurso del tiempo el faraón, que representaba todos los poderes y tradiciones, llegó a encarnar simultáneamente a diferentes dioses: era Ptah, era el hijo de Re, era también Horus y era hijo de Osiris; cada dios le confería sus poderes.

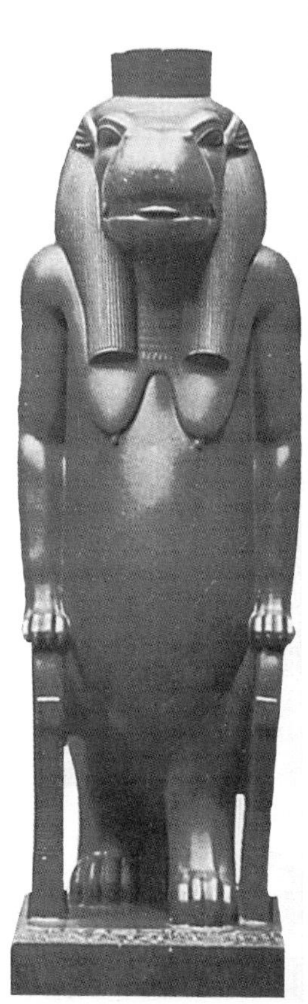

La vida de ultratumba

Las creencias relacionadas con la vida de ultratumba generaron un complicado ritual que iba desde la acción de embalsamar el cadáver a la preparación del ajuar y recinto funerario. Era creencia general que en el reino de la muerte se repetían los mejores momentos de la vida terrena, por ello el egipcio no temía la llegada de la muerte, seleccionando y recogiendo los objetos que lo acompañarían a la otra vida, según sus posibilidades económicas.

Hasta el Imperio Antiguo la vida de ultratumba estaba reservada al faraón, su familia y algunos allegados. Pero esta idea de inmortalidad fue calando en las distintas capas sociales, hasta alcanzar incluso a los más humildes. Osiris fue de este modo el dios más arraigado en la sociedad y más venerado por el pueblo egipcio.

No todos los egipcios podían costearse un entierro completo (en el que estaba incluido la momificación) ni construirse la tumba deseada, pero hasta el más pobre enterramiento hallado refleja ese deseo de llegar a la otra vida con algunos objetos considerados importantes, aun-

Esta pintura de una cámara funeraria de la tumba de Sennutem (Imperio Nuevo, época ramésida), en Tebas, representa a Anubis, el dios-chacal, procediendo a una momificación.

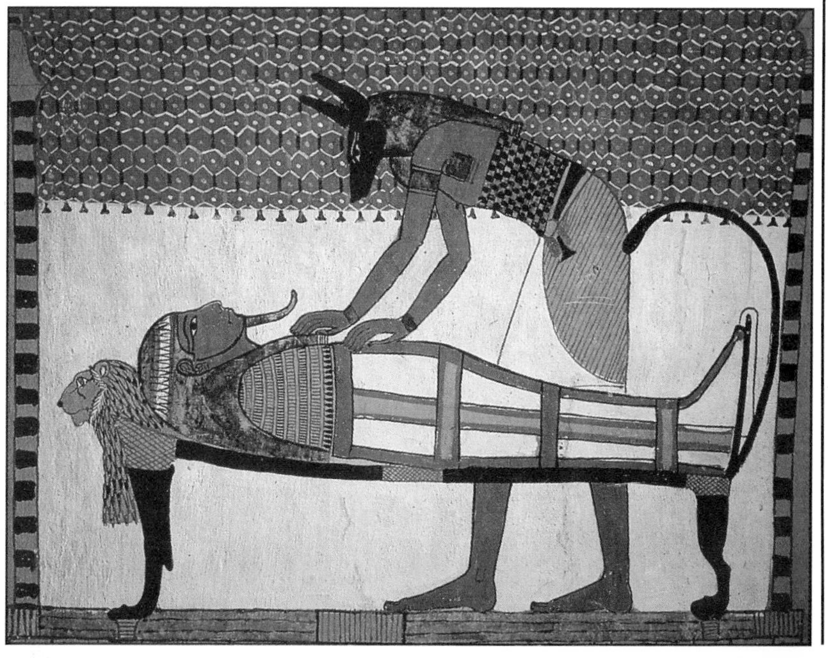

El más allá

que solamente fuera comida y algún utensilio tosco. La preparación de la tumba no bastaba para pasar adecuadamente al reino de Osiris: debían realizarse ritos funerarios periódicamente en honor del fallecido. Para asegurarse la realización y continuidad de estos ritos y ceremonias, el egipcio rico dedicaba una parte de sus bienes a fundaciones piadosas, para que los sacerdotes los llevaran a efecto. Gracias entre otras cosas a estas donaciones, surgió el poder de la clase sacerdotal, que controlaba y administraba grandes propiedades y riquezas de esta procedencia que, al estar exentas de impuestos, se incrementaban sin cesar.

La misión principal de los sacerdotes era satisfacer a los dioses, a cuyo servicio se encontraban. La atención del dios se efectuaba siguiendo un estricto ceremonial que incluía su limpieza, alimentación y adoración, como si se tratara de un humano. Durante las festividades, la imagen de la deidad era sacada del templo y acompañada por un fastuoso cortejo, paseada por los alrededores para que el pueblo pudiera contemplarla, porque a su santuario no se podía acceder.

En esta pintura de la tumba de Ramose (dinastía XVIII, época de Amenofis III, hacia el 1380 a. C.), aparece un grupo de plañideras, que entonan sus lamentos en los funerales del visir.

Los sacerdotes se ordenaban jerárquicamente: sólo los de rango superior estaban autorizados a traspasar la puerta de la morada del dios para realizar el aseo personal del mismo, mientras el resto dedicaba el tiempo al estudio y al trabajo.

La religión egipcia impregnó toda la sociedad del Antiguo Egipto y, en ciertos aspectos, constituyó una ayuda para la pervivencia de esta civilización: sacralizó a los faraones, su carácter politeísta la hizo tolerante con otras creencias, evitándose así discordias de tipo religioso, y su preocupación por la vida de ultratumba favoreció el que la cultura quedara inmortalizada.

Sacerdotes y dioses

La momificación o embalsamamiento tenía como fin conservar el cuerpo del difunto para la otra vida; estaba a cargo de sacerdotes especializados, los embalsamadores, que sometían a los cadáveres a una serie de procesos encaminados a impedir su descomposición, tras los cuales la momia se introducía en un cofre especial de madera, decorado con diversos motivos según la categoría del difunto. Este sarcófago se introducía dentro de otro, de caliza o de granito. A la derecha, sarcófago del faraón libio Pasenhor, dinastía XXII; a la izquierda, interior del sarcófago de un sacerdote tebano, dinastía XXI.

6

El mensaje de los papiros y las piedras

El Antiguo Egipto inició muy pronto su andadura histórica al inventar, a finales del IV milenio a. C., un sistema de escritura que le permitió dejar constancia de sus ideas y de sus esperanzas.

El primer sistema de escritura usado fue el jeroglífico figurativo: el dibujo de un objeto significaba exclusivamente lo que representaba. Muy pronto este sistema pasó a combinarse con ideogramas y fonogramas, es decir, signos que representaban abstracciones o representaban sonidos. Se utilizaron 24 jeroglíficos para los

24 distintos sonidos consonánticos; más tarde se añadieron otros para los sonidos polisilábicos, pero nunca se llegaron a representar los sonidos vocálicos, lo que les impidió llegar a un sistema de escritura alfabético. La dificultad para dominar este sistema de escritura resulta manifiesta y explica los largos años de aprendizaje que debían seguir los escribas en las escuelas del palacio o del templo.

Este sistema de escritura continuó utilizándose hasta el final de la civilización egipcia, aunque su uso quedó limitado a las inscripciones sobre la piedra, en muros o en estatuas. Al inventarse otros elementos sobre los que escribir, como el papiro, los egipcios se vieron obligados a simplificar este sistema y, aunque partiendo siempre de él, comenzaron a utilizar la escritura hierática o sacerdotal, que es la que suele encontrarse en papiros y tablillas. En fecha tardía, hacia el 700 a. C., surgió otro sistema de escritura, la demótica o popular, que también aparece en los papiros.

Utensilios de escritura de un escribano egipcio y fragmentos de la narración Los dos hermanos, en escritura hierática y jeroglífica. En la página opuesta, plegaria jeroglífica a Sesostris I, encontrada en Karnak.

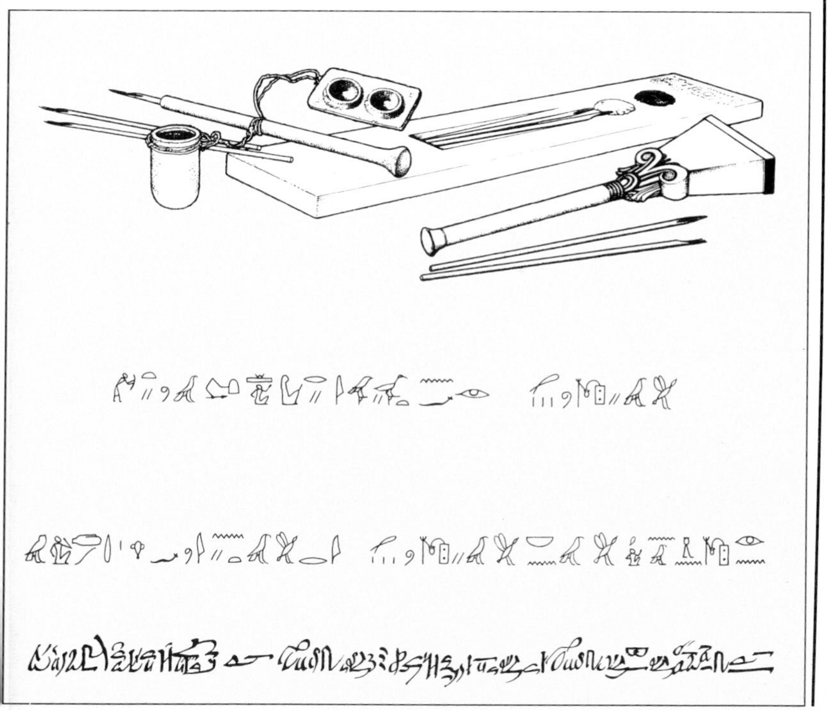

La piedra Rosetta

El secreto de los jeroglíficos se desentrañó gracias al lingüista Jean-François Champollion, quien en 1822, tras catorce años de estudios sobre las inscripciones de la *Piedra Rosetta* (página opuesta) descifró el significado de la primera palabra jeroglífica.

Inscripciones, literatura y poesía

Los textos literarios que han llegado hasta nuestros días o corresponden a inscripciones en los muros de los templos, tumbas o monumentos, o bien proceden de tablillas de barro y rollos de papiros. Los primeros han aportado gran cantidad de datos históricos, biográficos y fórmulas de oración, con el inconveniente de presentar un lenguaje abreviado. Los segundos muestran mayor variedad, destacando las narraciones, la poesía, los cuentos y los libros de conocimientos.

Los papiros conservados hasta nuestros días nos permiten conocer las características de la literatura egipcia y de la forma de vida del pueblo egipcio.

Las narraciones son el género literario que mejor refleja el funcionamiento de la sociedad en las que fueron escritas. De entre las más antiguas que han llegado hasta nosotros destaca *Las protestas del aldeano*, que podemos situar cronológicamente entre el Imperio Antiguo y el Nuevo. En el texto se narran las quejas que un humilde labrador expone al mayordomo de palacio por haber sido despojado de sus tierras injustamente por alguien con influencias en la corte; las quejas parecen tan justas que el labrador acabará recuperando sus propiedades. El talante democrático —no olvidemos que el labrador pertenece al grupo inferior de la sociedad— y la solución en su favor nos acercan más, sin duda, a las características sociales de Imperio Medio.

La historia de los dos hermanos presenta una cierta similitud con la historia bíblica de José, aunque luego el relato se complica y pierde agilidad. *La historia de Sinuhé*, una de las narraciones más acabadas, refleja con verosimilitud el clima político que existía durante el reinado de la dinastía XII.

Capítulo especial merecen los *Libros Sapienciales* o compendio de consejos que el narrador da a algún joven inexperimentado. *La instrucción del rey Merikare* es un buen ejemplo de este género. En el texto se exponen con claridad las obligaciones que tiene un gobernante para con su pueblo.

La poesía que conocemos está llena de sentimiento y ternura. Quizá el poema más conocido sea el *Himno a Atón*, en el que se perciben, como en otros casos, influencias bíblicas.

Las ciencias

Aunque con métodos rudimentarios más pragmáticos que abstractos, los egipcios lograron los conocimientos de cálculo y geometría indispensables para sus actividades comerciales y constructivas. Solamente llegaron a conocer la suma y la resta, aplicando sus propiedades para dividir y multiplicar. Para multiplicar 53 por 15 iban duplicando el multiplicando hasta que la suma de las veces duplicadas coincidía con el número multiplicador; a continuación, sumaban las cantidades obtenidas de las duplicaciones realizadas, obteniendo así el producto:

1	53
2	106
4	212
8	424
(1 + 2 + 4 + 8) = 15	(53 + 106 + 212 + 424) = 795

De este modo, sabían que el producto de multiplicar 53 por 15 era 795.

En geometría llegaron a calcular las áreas de algunas figuras sin recurrir tampoco a la abstracción. Al parecer, proyectaron sus monumentos con exactitud matemática con más paciencia y habilidad que a base de cálculo.

Desarrollando al máximo sus dotes de observación, inventaron el calendario solar de 365 días, con una aproximación a la realidad que ningún otro pueblo de la antigüedad, incluso con mejor nivel científico, pudo conseguir. También dividieron el día en 24 partes: 12 para el tiempo solar y 12 para el nocturno; la duración de estas partes variaba según la estación.

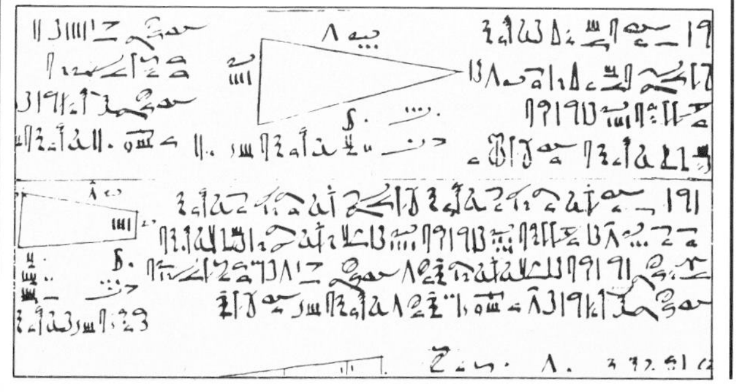

Las ciencias

Las tropas napoleónicas, en su campaña por tierras egipcias en 1799, encontraron una estela de basalto negro cerca de la ciudad de Rosetta. En esta piedra está escrito, en tres idiomas (griego, demótico y jeroglífico), un decreto del faraón Ptolomeo V, fechado en el 196 a. C. Champollion logró descifrar el lenguaje jeroglífico gracias al texto griego. La *Piedra Rosetta* fue la llave que permitió a los egiptólogos leer infinidad de documentos indescifrables hasta entonces. Abajo, fragmento del *Papiro matemático de Rhind*, escrito en hierático hacia el 1600 a. C.; trata de problemas relacionados con los triángulos.

Médicos y magos

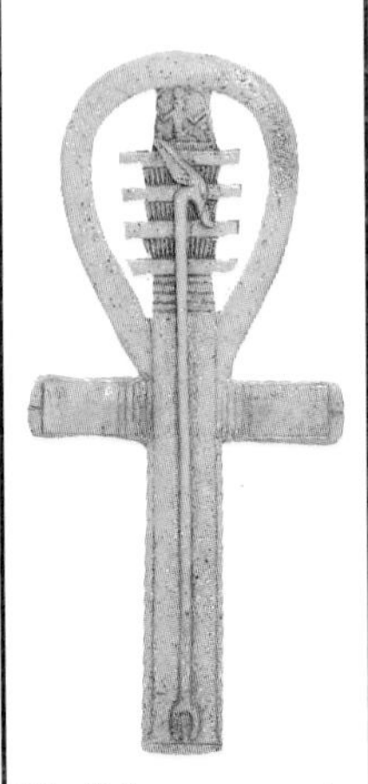

Medicina y magia estaban íntimamente relacionadas para los antiguos egipcios, que se protegían de muchos males, sobre todo de la mala suerte, pero también de algunas enfermedades, por medio de amuletos diversos que a veces eran también objetos de adorno personal. Sobre estas líneas, el *ankh* o signo de la vida, un amuleto muy popular.

La medicina egipcia

Pero en la ciencia que mayor desarrollo alcanzaron fue en la medicina, donde el sentido práctico de este pueblo les llevó a planteamientos que podemos considerar modernos. Y no es que la práctica de la medicina estuviera exenta de magia y superstición, pero a pesar de ello supieron sistematizar sus observaciones y buscar los remedios adecuados que les dictaba su experiencia. No obstante, existieron todo tipo de talismanes y la ingestión de medicamentos debía acompañarse de ciertas fórmulas para que tuvieran el efecto deseado; tampoco todos los días eran adecuados para poner remedio a los males del cuerpo: sólo en los fastos los medicamentos mantenían sus cualidades curativas.

A pesar de todas sus supersticiones se practicó en Egipto verdadera medicina por primera vez en la Historia de la Humanidad. Quizá los textos más interesantes de esta temática sean el *Papiro Médico de Ebers* y el *Papiro Quirúrgico de Smith*. El primero es un manual de medicina general en el que se dictan instrucciones para casos quirúrgicos, así como nociones sobre el corazón y una lista de fármacos a utilizar en cada ocasión. El segundo estudia las lesiones orgánicas, con descripciones minuciosas, y el tratamiento y clasificación de las mismas según la gravedad y las posibilidades de curación de cada una.

Los egipcios supieron solucionar sus necesidades con pragmatismo a fuerza de observación, aunque no conocieran el significado científico real de sus actos.

Mediante la experimentación, siguiendo el método de «prueba y error» los egipcios aprendieron el uso de muchas drogas naturales con propiedades curativas, y advirtieron las ventajas del reposo y los cuidados para la recuperación del paciente, así como la importancia de la higiene para prevenir ciertas dolencias. No obstante, sus conocimientos estaban plagados de errores y lagunas. Por ejemplo, sabían que el corazón era el centro de una complicada red de venas, pero creían que por ellas no sólo circulaba sangre, sino también aire y agua, y que en su interior estaban además los nervios y los tendones. Incluso suponían que el estómago estaba conectado con el corazón, y que en éste se localizaba la inteligencia.

El sentido del arte

El arte egipcio puede compararse con las manifestaciones artísticas de cualquier civilización. Es difícil decir si es más religioso o cortesano, dada la estrecha relación entre estado y religión. De hecho, los momentos culminantes del arte corresponden a los períodos de máximo esplendor de la monarquía, mientras que en los períodos de crisis política disminuye la producción y el valor de las manifestaciones artísticas.

Ya desde tiempos prehistóricos, los nilóticos demostraron ser un pueblo con gran sentido de la observación y de la síntesis, como permiten comprobar las pequeñas figuritas animales y humanas, esculpidas sobre materiales blandos, que se encuentran en los yacimientos. Este largo proceso de práctica y creación artística parece encontrar su culminación en la paleta del rey Narmer (posiblemente Menes), en la que además de representarse animales y la figura del primer rey de Egipto, aparecen los primeros jeroglíficos que se conocen.

Los artistas egipcios, de singular destreza, solían ser funcionarios al servicio del estado o de los sacerdotes. Aprendían su oficio en talleres especializados, donde se les enseñaban las rígidas normas estéticas que habían de seguir.

El arte egipcio

El concepto de lo artístico en el Antiguo Egipto era bastante distinto al nuestro. No era más importante un pintor o un escultor que un ceramista o un tejedor. A pesar de las construcciones suntuarias relacionadas con la realeza o la religión, para ellos era importante que los objetos bellos fueran, además, prácticos. Aquí, reposacabezas de marfil, una de las piezas del tesoro del faraón Tutankhamon.

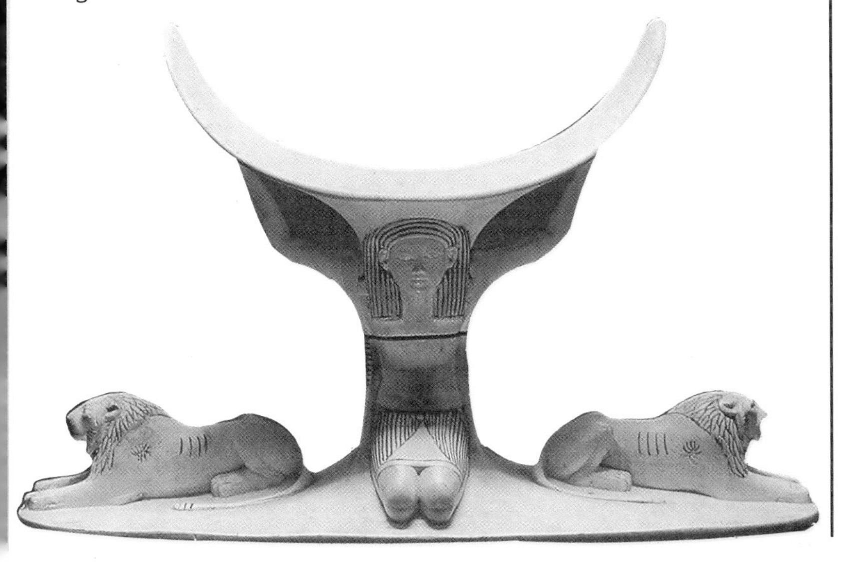

La arquitectura egipcia

Arquitectura: templos, mastabas y pirámides

Durante el Imperio Antiguo la arquitectura adoptó una serie de novedades: el uso de la piedra en sustitución de los adobes y las plantas cuadrangulares de los lugares de habitación, en lugar de las circulares. El uso de la piedra tenía por objeto hacer imperecedero todo lo relacionado con la eternidad: tumbas y templos. Un arquitecto, Imhotep, que hizo la tumba del faraón Djeser (III dinastía), parece haber sido el primero en generalizar el uso de la piedra para determinadas edificaciones.

Quizás debamos recordar que a excepción del arquitecto, a quien se le reconocía el trabajo intelectual y la creatividad de sus proyectos, los escultores y pintores egipcios eran considerados meros artesanos, cuya función consistía en realizar los encargos de la realeza y de la clase sacerdotal con estricta fidelidad. Habrá que esperar la llegada del Imperio Nuevo para que el artis-

Dibujo esquemático del complejo de Keops y corte de la Gran Pirámide. Keops fue el segundo faraón de la dinastía IV. Construyó su capital junto a la meseta de Gizeh, y desde ella se preocupó de impulsar la actividad artística. Su obra máxima fue la erección de la Gran Pirámide, para lo que hubo de utilizar más de 100.000 obreros; para conseguirlos recurrió incluso a los servidores de los templos, lo que obligó a cerrar temporalmente muchos de ellos, haciendo impopular al faraón. Los hechos de su reinado, a parte de esta magna obra arquitectónica, nos son prácticamente desconocidos.

ta adquiera consideración social. De hecho, no conocemos ningún nombre de escultor o pintor anterior al Imperio Nuevo.

Las manifestaciones arquitectónicas características del Imperio Antiguo son los monumentos funerarios, entre los que cabe mencionar en primer lugar las mastabas, construcciones de planta rectangular, troncopiramidales y con dos partes diferentes: un pozo en el centro, donde se colocaba el sarcófago del muerto, y una capilla, a nivel del suelo, en la que depositaban las ofrendas funerarias junto a relieves y pinturas de escenas cotidianas e inscripciones religiosas. A partir de estas mastabas los conjuntos funerarios fueron ganando monumentalidad, apareciendo primero las pirámides escalonadas, luego la pirámide romboidal y por último las pirámides de paredes continuas. La pirá-

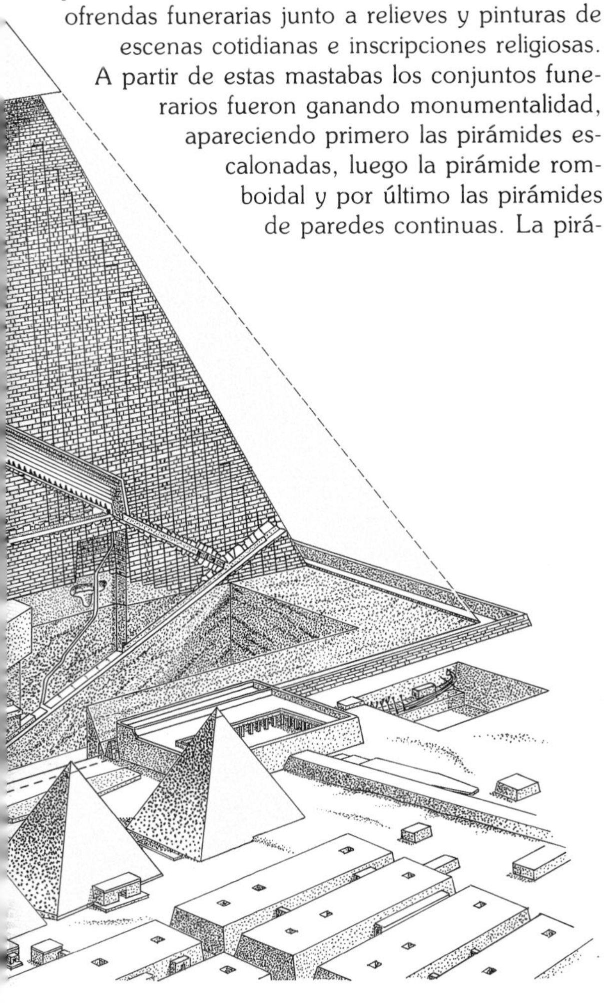

La Gran Pirámide de Keops se eleva, junto a las de Kefren y Micerino, en la meseta de Gizé. Este complejo funerario, construido por tres grandes faraones de la dinastía IV, es la única de las llamadas «siete maravillas del mundo», que ha llegado hasta nuestros días.

La arquitectura egipcia

La arquitectura funeraria fue la que mostró un desarrollo mayor en el Antiguo Egipto. Las mastabas (abajo) eran grandes tumbas de piedra, destinadas habitualmente a los nobles; las dos piezas principales eran la capilla (arriba) y la cámara subterránea (abajo), donde se depositaba el cadáver. En la página opuesta, aspecto del patio de Amenofis III en el templo de Luxor, en Tebas, una de las mejores muestras de arquitectura egipcia.

mide escalonada no es más que la superposición de mastabas de dimensiones cada vez menores; su creador fue Imhotep. Con el tiempo, la pirámide se convirtió en símbolo de realeza, de uso privativo del faraón, su familia y altos dignatarios.

La pirámide, al igual que la mastaba, era parte de un monumento funerario que incluía un templo en la orilla del río, del que salía un corredor cubierto hasta llegar a otro templo situado junto a la pirámide; en el interior de esta última existían una serie de corredores que enlazaban distintas habitaciones hasta llegar a la sala principal destinada al faraón. Junto a la pirámide real solían construirse otras de menor tamaño para los cortesanos. El conjunto más famoso procede de la dinastía IV, y está dedicado a los faraones Keops, Kefrén y Micerinos.

En esta misma época comenzaron a usarse las columnas de grueso fuste, imitando troncos o haces de tallos atados con capiteles lotiformes, palmiformes o papiriformes. Los fustes estaban decorados con relieves e inscripciones fuertemente coloreadas.

Durante el Imperio Medio el templo aparece por primera vez como construcción autónoma e independiente, aunque la mayor parte de ellos fueron destruidos durante el Segundo Período Intermedio. Los templos más notables que conocemos pertenecen al Imperio Nuevo. El templo tipo constaba de una avenida de acceso flanqueada por esfinges que llegaba hasta la fachada principal; ésta la formaban dos pilonos (torres tronco-

pirámidales), entre los que estaba situada la puerta de acceso, con grandes estatuas reales a cada lado, así como obeliscos conmemorativos de las gestas faraónicas. A través de la puerta se llegaba a un gran patio porticado, estancia donde se reunía el pueblo; a continuación estaba la sala hipóstila, a la que sólo accedían los sacerdotes y, por último, en la parte más interna, estaba la cámara donde se guardaba la estatua del dios.

Así como el mejor conjunto de mastabas y pirámides lo hallamos en Saqqara, los templos mejor conservados se encuentran en los alrededores de Tebas, en Karnak y Luxor, mereciendo mención especial los excavados en la roca de Abu Simbel.

La arquitectura del reinado de Amenofis IV (dinastía XVIII) presenta particularidades debido a su intento de sustituir el politeísmo tradicional por el culto monoteísta al dios Atón. El templo construido en honor de Atón, en Tell el-Amarna, no sigue el esquema tradicional, ya que el culto a este dios no se hacía en cámaras secretas, sino a la luz del sol y en presencia de la población.

Planta del conjunto de templos de Karnak (Tebas), obra sucesiva de varios faraones, donde se encuentran templos construidos entre las dinastías XVIII a XX (Imperio Nuevo).

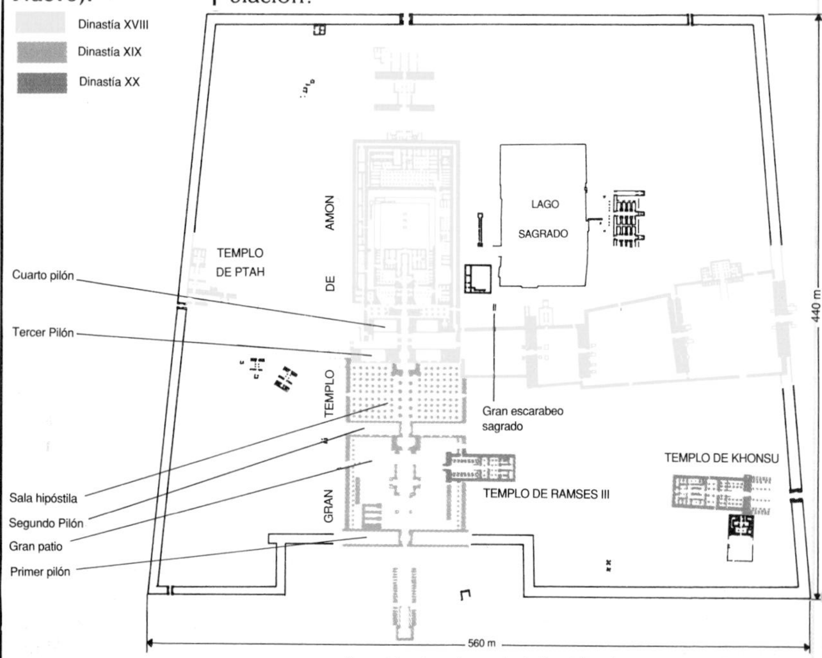

Planta del conjunto de templos de Karnak (Tebas)

Escultura y pintura

La escultura estuvo profundamente ligada a la arquitectura funeraria y religiosa. Durante el Imperio Antiguo se establecieron los tipos estilísticos que se mantendrían, con pequeñas variaciones, a lo largo de sus étapas históricas; la fuerza expresiva y el poder de representación, con formas sintéticas y estilizadas, será la cualidad fundamental de la escultura egipcia. Las estatuas de los faraones, principal objetivo de los escultores, presentan una gran calidad, tanto las destinadas a sus tumbas como las que debía venerar el pueblo. Las mejores estatuas de personajes privados, como los escribas o el alcalde del pueblo, corresponden a la dinastía V.

Después del primer período de crisis, en el que la producción de escultura disminuye notablemente, el Imperio Medio recuperó todo el esplendor anterior añadiendo una visión realista novedosa, hasta el punto de remarcar los rasgos individuales, especialmente en los personajes privados. Surge también una estatuaria menor, hecha de madera, que reproduce actividades coti-

Durante la dinastía V, en el Imperio Antiguo, se desarrolló notablemente el retrato escultórico, como lo demuestra esta pieza, *El escriba del Louvre*, que puede admirarse en el museo del mismo nombre, en París.

Escultura y pintura

dianas y que se hacía para colocarla en las tumbas como garantía al difunto de que dispondría de esos servicios en la vida ulterior. El Imperio Nuevo tuvo un renacimiento artístico sin precedentes, con tipología variada, desde la tradicional a la realista, y a las que hay que añadir el naturalismo absoluto practicado durante el reinado de Amenofis IV, en el que el escultor, que pasa a ser considerado «artista», debe representar lo que ve, sin condiciones.

También las reglas de la representación pictórica quedaron definidas durante el Imperio Antiguo: los colores a utilizar (amarillo o rosa para el cuerpo femenino y rojo para el masaculino) y la posición de las distintas partes del cuerpo. Se pintaba sobre superficies planas, revocadas y alisadas; primero se dibujaba la superficie y

Esta bella lámina de marfil pintado, adornaba la tapa de un cofre; representa a Tutankhamon y a su esposa, Anjesenamon, en un jardín. Este faraón de la dinastía XVIII, a pesar de su corto reinado, se convirtió en una figura fascinante tras el descubrimiento de su tumba, por Carnavon y Carter, en 1922, en el Valle de los Reyes; estaba intacta y contenía un fabuloso tesoro, con numerosos objetos de uso cotidiano del faraón, exquisitamente trabajados en materiales preciosos, que en otras tumbas han desaparecido a lo largo de los siglos a causa de la acción de los ladrones especializados en el robo de pirámides y mastabas.

luego se pintaba. El cuidado y el naturalismo eran las características más notables. Gracias a las pinturas, las tumbas son un importante documento de la vida y costumbres egipcias. El realismo de la escena irá acentuándose con el transcurso del tiempo, con el paréntesis del naturalismo durante el reinado de Amenofis IV. No hay que ovidar, dentro de la pintura, la faceta de los ilustradores de papiros, que alcanzaron gran belleza en su intento por ilustrar el texto.

Los egipcios cuidaron y trabajaron con increíble destreza los objetos de uso cotidiano: los vasos de alabastro, las variadas y exquisitas joyas, el rico mobiliario que incluía desde lechos a todo tipo de sillas, cofres y mesas; todo ello da prueba de la habilidad del artista y del refinamiento de los usuarios.

En conjunto podemos decir que Egipto ha contribuido con sus obras al desarrollo artístico; pero no radica en eso su grandeza, sino en la permanencia de su arte, que ha llegado hasta nosotros con toda su fuerza.

En este emblema marcial, perteneciente también al tesoro de Tutankhamon, se representa al faraón como si regresase de la guerra, a pesar de que nunca pisó un campo de batalla; el medallón, como el resto de los objetos reales, exalta el poder del soberano, atribuyéndole méritos militares que nada tienen que ver con la verdad histórica. En cualquier caso, indica el nivel de los artesanos egipcios. A la izquierda, retrato de Meryt-Amon, esposa de Sennefer (Dinastía XVII).

Datos para una historia

Años (a. C.)	Dinastías	Política y Economía	Artes y Ciencias
PERIODO PROTODINASTICO (3100-2686)			
3200		Primera unificación de Egipto. Capital: Heliópolis. División, de nuevo, en Alto y Bajo Egipto.	
3100	I.ª: 3100-2890	Menes unifica el Alto y el Bajo Egipto. Capital: Menfis. Intercambios comerciales con Levante.	Progreso del calendario y de la técnica de los jeroglíficos (escritura rudimentaria).
3000		Expediciones al Sudán.	Utensilios y camas de cobre.
2900		Comienzo de grandes obras de drenaje y regadío.	Construcción de tumbas reales junto a Menfis y Abydos. Primer tratado de cirugía general.
2800	II.ª: 2890-2686	Conflictos religiosos y políticos entre el Alto y el Bajo Egipto, que rompen varias veces la unidad del país.	Uso de granito y la pizarra en los santuarios. Empleo generalizado de la piedra como material de construcción.
2700		Reunificación de Egipto bajo el reinado del faraón Khasekhemui.	Metalurgia. Marfil. Madera, Azulejos.
IMPERIO ANTIGUO (2686-2181) Capital: Menfis			
2600	III.ª: 2686-2613	Destaca el faraón Zoser, primero en ser enterrado en una pirámide. Nubia cae bajo dominio egipcio.	Epoca de las pirámides. Construcciones colosales y estatuas en piedra. Imhotep, arquitecto real, construye a base de piedra. Pirámide de Saqqara, de gradas.
2500	IV.ª: 2613-2494	Destacan Keops, Kefrén y Micerinos. Guerras contra nubios y libios. Minas de cobre en el Sinaí.	Pirámide regular del faraón Snefru, en Dahasur. En Gizeh se construyen las Grandes Pirámides y la Esfinge.
2400	V.ª: 2494-2345	El faraón Asosis importa oro e incienso de Punt (costa de Somalia).	Aumenta la importancia de Heliópolis y de su dios-sol, Re.

Años (a. C.)	Dinastías	Política y Economía	Artes y Ciencias
2300		Debilitamiento del absolutismo faraónico y aumento del poder de los nobles provinciales (nomarcas).	En las tumbas reales se graban sobre la piedra los famosos *Textos de las Pirámides*, recopilación de ritos funerarios. Los ricos encargan excelentes trabajos en madera y piedra.
2200	VI.ª: 2345-2181	Relaciones comerciales con Biblos. Aumentan las luchas intestinas durante el largo reinado de Pepi II. El aumento del poder de los nomarcas provoca la anarquía.	Los nomarcas se construyen monumentos funerarios en sus dominios. Pirámide de Saqqara. Mastaba del alto funcionario Mererouka.
1.er PERIODO INTERMEDIO (2181-2040)			
2100	VII.ª: 2181-2173 VIII.ª: 2173-2160 IX.ª: 2160-2130	Se suceden muchos faraones de reinado corto. Disolución del poder real. Luchas entre los gobernadores de distintas regiones. Caos político y social.	Pérdida de las tradiciones artísticas por la tormenta política. Saqueo de las pirámides. Destrucción de obras de arte.
2000	X.ª: 2130-2040	La capital del Bajo y el Medio Egipto, Heracleópolis, no domina todo el país: luchas contra los tebanos del Alto Egipto.	Los nobles inscriben en sus tumbas los textos funerarios reservados antes a los reyes: *Textos de los sarcófagos*.
XI.ª: 2133-1991	Reunificación de Egipto bajo el tebano Mentuhotep I. Capital: Tebas.	Renacimiento artístico. Aparece el culto a Amón en Tebas.	
IMPERIO MEDIO (2133-1786)			
1900 1800	XII.ª: 1991-1786	Faraones autoritarios y poderosos acaban con los nomarcas; emprenden grandes obras de irrigación. Explotación intensiva de las minas de cobre del Sinaí. Establecimiento de avanzadillas a nivel de la Tercera Catarata del Nilo. Sesóstris I pacifica Nubia, y Sesóstris III la convierte en provincia egipcia.	Esplendor cultural. Templos y estatuas colosales. Desarrollo del arte del retrato. Período Clásico en literatura. Primer obelisco exento en Heliópolis. Primacía del culto a Amón. Fin del período de las pirámides.

Años (a. C.)	Dinastías	Política y Economía	Artes y Ciencias
2.º PERIODO INTERMEDIO (1786-1552)			
1700	XIII.ª: 1786-1633 XIV.ª: 1786-1603	Decadencia de la autoridad central. Pérdida de Nubia. Los hicsos, nómadas asiáticos, toman el poder y constituyen su propia dinastía.	Declive intelectual y artístico.
1600	XV.ª: 1674-1567 XVI.ª: 1684-1567 XVII.ª: 1650-1552	Dominio hicso. Introducción de nuevas armas, procedentes de Asia. El faraón Sequenré, y después su hijo Kamose, luchan contra los hicsos, empujándolos hacia el delta.	Desintegración de la cultura tradicional bajo el impacto de las ideas y técnicas de los hicsos. Mejora en las técnicas de hilado y tejido. El uso del bronce se generaliza. Nuevos instrumentos musicales: lira, oboe...
IMPERIO NUEVO (1552-1069)			
1500 1400	XVIII.ª: 1552-1305 (1552-1305)	El faraón Amoses I expulsa definitivamente a los hicsos. Tutmosis III extiende el Imperio hasta el Eufrates. Otros faraones significativos: Amenhotep III, Amenhotep IV (Akhenaton), que traslada la capital a Tell-el-Amarna. Tutankhamon. Horemheb, que apoyado por los sacerdotes de Amón, restablece el orden.	Magnífica artesanía. Florece la literatura. Akhenaton fracasa en su intento de imponer el monoteísmo. Construcción de los templos de Karnak, Luxor y Deil-el-Bahari. Tumbas complejas en el Valle de los Reyes: templo de Amenhotep III en Luxor. Colosos de Memnón.
1300 1200	XIX.ª: 1305-1186	Los faraones Seti I y Ramsés II mantienen la hegemonía egipcia y repelen los ataques hititas. El poder militar declina con Menenptah. La tribu de Israel abandona Egipto, dirigida por Moisés.	Gran actividad constructiva: templo de Ramsés II en Tebas. El *Libro de los Muertos* se escribe en papiro, más barato.
1100	XX.ª: 1186-1089	Ramsés III a XI. Rechazo de las invasiones libias y de los «pueblos del mar». Pérdida de las posesiones en Asia. Crecen la pobreza y la amargura entre la población.	Templo mortuorio de Ramsés III en Medinet Habu, conmemorativo de los éxitos militares del faraón. Saqueo de las tumbas tebanas.

Años (a. C.)	Dinastías	Política y Economía	Artes y Ciencias
3.er PERIODO INTERMEDIO (1069-343)			
1000	XXI.ª: 1069-945	Dinastía Tanita. Egipto dividido. Los reyes dependen de mercenarios libios.	Se termina el templo del dios Khons, en Karnak.
900	XXII.ª: 945-715	Faraones de origen libio (Bubástidas).	Esplendor de la artesanía. Trabajo de los metales y la cerámica.
800	XXIII.ª: 818-715	Invasión de Palestina. Saqueo de Jerusalén y del templo de Salomón.	Fundición perfecta del bronce.
700	XXIV.1: 725-715	Breve reinado de la dinastía Saíta (deltaica).	
600	XXV.ª: 751-656	Faraones etíopes. Invasiones asirias: saqueo de Tebas.	Los reyes nubios promueven el estudio histórico del pasado. Comienzo de un renacimiento cultural. Neorealismo escultórico.
500	XXVI.ª: 663-525	Faraones saítas. Independencia de los asirios. Flota poderosa. Comercio activo. Intercambios comerciales con Grecia.	Imitación del arte antiguo. Perfección del grabado sobre piedra.
400	XXVII.ª: 524-404	Los persas conquistan Egipto y gobiernan con el nombre de Aqueménidas.	Darío I de Persia ordena codificar el derecho egipcio.
	XXVIII.ª: 404-398	Expulsión de los persas con ayuda griega.	El faraón Achoris erige muchos monumentos.
	XXIX.ª: 398-378	Reinado corto de los faraones deltaicos.	
	XXX.ª: 378-343	Ultimos faraones egipcios. Los persas conquistan Egipto.	Ultimas manifestaciones de arte autóctono.
PERIODO HELENISTICO (332-30)			
300 30	XXXI.ª: 343-30	Alejandro *el Grande* conquista Egipto. A su muerte, uno de sus generales funda la dinastía Ptolemaica, que termina cuando en el año 30 a. C. Egipto pasa Imperio romano.	

Indice alfabético

Bibliografía

Aymard, A., y Auboyer, J.: *Oriente y Grecia Antigua*. Historia General de las civilizaciones, vol. I. Destino, Barcelona, 1969.

Blanco Freijeiro, A.; Presedo, F. J., y Elvira, M. A.: *Faraones y pirámides*. Cuadernos Historia 16, Madrid, 1985.

Buendía, M. A.: *Las primeras huelgas de la historia*. Historia 16, núm. 19, Madrid, 1977.

Caselli, G.: *Las primeras civilizaciones*. Colección «La Vida en el Pasado». E. G. Anaya, Madrid, 1988.

Cassin, E.; Bottero, J., y Vercoutter, J.: *Los Imperios del Antiguo Oriente (I): del Paleolítico a la segunda mitad del segundo milenio*. Historia Universal Siglo XXI, Madrid, 1971.

—*Los Imperios del Antiguo Oriente (II): el fin del segundo milenio*. Historia Universal Siglo XXI, Madrid, 1971.

Casson, L.: *Egipto Antiguo*. Colección «Las grandes épocas de la humanidad», Time-Life, 1974.

Daumas, F.: *La civilización del Egipto faraónico*. Juventud, Barcelona, 1972.

Desroches-Noblecourt, Ch.: *Historia ilustrada de las formas artísticas: Egipto*. Alianza Editorial, Madrid, 1982.

—*Tutankhamen. Vida y muerte de un faraón*. Noguer, Madrid, 1980.

Eggebrecht, A.: *El Antiguo Egipto*. Plaza & Janés, Barcelona, 1984.

Harris, G.: *Dioses y faraones de la mitología egipcia*. Colección «Mitologías». E. G. Anaya, Madrid, 1986.

Macaulay, D.: *Nacimiento de una pirámide*. Timun-Mas, Barcelona, 1982.

Millard, A.: *Antiguo Egipto*. Colección «Grandes Civilizaciones». Sigmar, Buenos Aires, 1980.

Molinero, M. A.: *Los sacerdotes egipcios*. Cuardernos Historia 16, núm. 136, Madrid, 1985.

Montet, P.: *La vida cotidiana en el Egipto de los faraones*. Argos-Vergara, Barcelona, 1983.

Peréz Die, M. C.: *Egipto. Guía Didáctica*. Museo Arqueológico Nacional, Madrid, 1985.

Peréz Largacha, A.: *El trabajo en Egipto*. Cuadernos Historia 16, núm. 117, Madrid, 1985.

Pirenne, J.: *Historia de Egipto*. Exito, Barcelona, 1982.

Presedo, F. J.: *A la sombra de la esfinge*. Historias del Viejo Mundo, núm. 2, Historia 16, Madrid, 1988.

Santero, J. M.: *Los esclavos en el Antiguo Egipto*. Historia 16, núm. 96, Madrid, 1984.

Trigger, B. G.: *Historia del Egipto Antiguo*. Crítica, Barcelona, 1985.

Wilson, J.: *La cultura egipcia*. Fondo de Cultura Económica, Madrid, 1980.